UN ÉTÉ VÉNÉNEUX

HELEN DUNMORE

UN ÉTÉ VÉNÉNEUX

BELFOND

Titre original :
TALKING TO THE DEAD
publié par Viking, Londres.

Traduit de l'anglais
par Edith Soonckindt

Tous nos remerciements à Faber and Faber pour
l'autorisation de reproduire un extrait de « Autobiography »
publié dans *Collected Poems* par Louis Mac Neice.

ISBN : 2-266-08952-8

1

Les tombes récentes sont en plein soleil, au-delà de l'ombre de l'if et de l'église. Deux d'entre elles sont couvertes de fleurs encore emballées et de terre fraîche. Il faudra attendre que la terre se tasse avant que l'on puisse poser les pierres tombales.

Lorsque quelqu'un meurt, il y a beaucoup de choses à savoir et peu de temps pour apprendre, mais des gens sont payés pour vous aider. Ils se présentent, la mine grave et compassée, ils vous questionnent puis vous orientent vers les bonnes réponses. Inutile de se taire, ils attendront. C'est leur métier. *Avez-vous songé au vingt-troisième psaume ? La défunte avait-elle un cantique préféré ? Était-elle pratiquante ?* Je savais ce qu'ils voulaient dire par là : auraient-ils à rédiger à la hâte une fiche pour le curé, remplie de faits utiles, acceptables ?

Combien de personnes reviendront ensuite à la maison ? Bien entendu une limousine sera mise à la disposition des proches mais, comme l'endroit est plutôt reculé, il faudrait peut-être prévoir d'autres véhicules. Ils étaient deux plantés là, à noter les indications nécessaires. L'un a jeté un coup d'œil à l'autre. Ils rayonnaient du plaisir de s'être si bien exprimés. Mais ils étaient beaucoup trop professionnels pour sourire. On aurait dit des agents immobiliers venus nous vendre nos propres vies. Ensuite, la nourriture. Après un enterrement il faut manger, afin de prouver que l'on est toujours vivant. Certains mets conviennent, d'autres pas. Le jambon ou le poulet froid appartiennent à la première catégorie. La quiche est très prisée, les vins australiens aussi. En revanche, tout ce qui exigerait de personnes éméchées ou éplorées un dernier effort d'attention ne convient pas. Personnellement, j'avais faim. J'ai mangé les sandwiches au poulet et j'ai bu le vin.

Je me souviens de chaque parole prononcée. Je me souviens d'avoir regardé fixement un gros jambon glacé dont la couenne quadrillée luisait de sirop. J'ai pensé à la façon dont il serait ensuite découpé en tranches que l'on nous servirait après ton enterrement. Quelqu'un me demandait si je préférais de l'ananas frais ou en boîte pour décorer le jambon.

« Le cercueil, vous le préférez ouvert ou fermé ? »

« Certaines personnes, a chuchoté l'un d'eux, certaines personnes trouvent extrêmement apaisant d'avoir *vu*, de ne pas devoir *imaginer.* Ça peut leur être d'un grand réconfort. »

« Un grand réconfort. » Je répète maintenant ces mots à voix haute, ils me viennent comme des cailloux sortis de ma poche que je lance dans l'air tranquille.

C'est beau, l'endroit où tu es. Le cimetière est entouré de grands murs de brique et de silex, mais comme nous sommes en hauteur je vois la ligne bleue des collines du Weald juste derrière. L'air circule librement. Il fait sec et chaud, et la terre a l'odeur d'un corps qui se dore au soleil. Des abeilles ont formé un essaim de l'autre côté de l'église. J'en viens et je les ai vues agglutinées là, en une masse sombre sous le toit. En route vers l'essaim, des abeilles égarées traversaient l'air en sifflant ; c'était un bruit dangereux, comme de l'eau dans une bouilloire presque chauffée à blanc. Je suis repartie tout doucement, en retenant mon souffle.

Tu es là au soleil, loin de l'if. Je me souviens

qu'une fois nous nous étions interrogées sur la présence de ces arbres dans les cimetières et je t'avais expliqué qu'ils avaient la réputation d'éloigner les mauvais esprits. Tu m'avais répondu qu'il y avait aussi une raison beaucoup plus terre à terre : les fermiers n'auraient jamais laissé leurs bêtes paître dans un enclos planté d'ifs, ainsi les sépultures étaient-elles respectées.

Ta pierre tombale est solide. Je connais son prix exact, et le nombre de lettres que contient l'inscription. Juste ton prénom et ton nom de jeune fille, celui que tu as toujours porté puisque tu n'avais pas voulu changer après ton mariage. Sous ton nom on peut lire ta date de naissance et celle de ta mort. Pas de message, pas de commentaire sur ta vie. Strictement aucun indice. Seul le peu de temps écoulé entre la première date et la dernière pourrait attirer l'attention. Quiconque calculerait la durée de ta vie pourrait s'étonner et entreprendre alors d'inventer ton histoire à partir de rien.

Les gens qui flânent dans les cimetières s'arrêtent toujours devant les tombes des jeunes morts. A des centaines de kilomètres d'ici le même nom que le tien est gravé sur une autre tombe, minuscule celle-là, dans un cimetière en pente surplombant la mer. Un chemin le traverse, que les touristes empruntent comme raccourci pour descendre à la plage. Ils s'arrêtent, lisent l'inscription, le nom, les dates et les deux lignes de poésie. Il y a souvent un pot de confiture rempli de fleurs posé sur la tombe. Si ces promeneurs sont accompagnés d'enfants, ils leur serrent la main bien fort en s'éloignant. Cela fait des années que je n'y suis pas allée. Aucun de nous n'a mis ces marguerites blanches dans le pot. A moins que ce ne soit toi ? Toi qui aurais laissé ces fleurs là puis serais restée un long moment les yeux baissés, plongée dans des pensées qu'il est maintenant trop tard pour déchiffrer ?

J'arrive presque à te voir. Si je tournais la tête vers l'éclaboussure noire de l'ombre sous l'if, là maintenant, vite, je te verrais, j'en suis sûre. Il est midi, l'heure blanche où les fantômes marchent sans laisser de trace. Mais je ne tourne pas la tête.

Il souffle toujours un petit vent par ici. Le cimetière fait penser au pont d'un bateau qui vogue incliné au-dessus de la terre. Si je ferme les yeux, je sens le sol frissonner, du moins c'est ce que j'imagine. Sous la caresse du vent les tombes se sont inclinées une à une et ont fini par se renverser, ce qui les rend difficiles à déchiffrer. Mais la tienne est neuve et il faudra du temps au vent pour la coucher. J'ai encore du mal à croire que tu es là, tellement proche que je pourrais te toucher si tu n'étais pas recouverte. Et j'ai du mal à croire que si je creusais je trouverais d'abord l'enveloppe de terre, puis le cercueil, puis toi, en personne.

Je m'étends. Je ferme les yeux. Je suis dans le lit avec toi, chauffée par la chaleur de la nuit. Je sens tes longues jambes minces repliées derrière moi et tes genoux qui s'enfoncent dans mon dos.

« Dors.

— Mais je dors, enfin !

— Ça m'étonnerait, puisque tu me parles ! »

Silence. Nous sommes endormies dans le grand lit à deux places au milieu duquel nous avons glissé. Comme je ne supporte pas le contact de la toile à matelas aux rayures blanches et bleues que transperce la pointe des plumes, les draps sont soigneusement enroulés autour de mes jambes. Tous les soirs tu m'aides à les recouvrir.

« Tu vois pas de peau, t'es sûre ?

— Certaine. »

Nous sommes endormies. Il ne s'est encore rien passé.

Je suis sur ta tombe dont le chaud monticule m'apparaît modelé comme un corps. Mais j'ai beau tendre l'oreille, je n'entends battre aucun cœur. Puis ton silence m'apaise. Je pourrais te parler maintenant, laisser mes mots se perdre dans l'herbe haute, mais c'est sans importance. Et les nombreuses questions que je brûle de te poser s'éloignent en flottant comme le fait le monde juste avant que l'on ne sombre dans le sommeil.

2

J'aurais dû laisser le taxi m'emmener jusqu'à la maison. J'ai pris plus d'affaires que d'habitude parce que je ne sais pas combien de jours je vais rester ; et puis le temps risque de changer. J'ai aussi emporté de quoi travailler, des carnets de croquis, des crayons, des fusains, des encres. Mais un seul appareil photo. Ça fait drôle de voyager sans la sacoche, celle que je n'ose jamais quitter du regard, ne serait-ce qu'une seconde. A Londres, où j'habite, je la traîne de la moiteur crasseuse des rames de métro jusqu'à la chaleur des appartements, des magasins et des bureaux. Je n'ai pas souvenir d'avoir jamais connu un été aussi chaud, et ça fait des semaines maintenant que ça dure.

J'aime les petits matins et l'odeur des trottoirs que l'on passe au jet devant les terrasses des bistrots. Je bois un café à 6 heures et je sors à 7, quand le soleil est frais sur mes bras, que l'eau coule des pétunias, dans les bacs accrochés aux réverbères, et que les camionnettes chargées de pain tout chaud et de journaux à l'encre encore fraîche filent à toute vitesse. Je sais alors pourquoi j'habite cette ville. J'ai rendez-vous pour un petit déjeuner qui me vaudra peut-être une nouvelle commande excitante. Mais dès 11 heures Londres est vidée, en sueur, et la commande en question se résume à photographier un centre aéré pour un journal local. Je repousse continuellement des barrières invisibles, sans jamais réussir à obtenir le travail que je veux vraiment. Qu'est-ce qui ne va pas dans mes photos ?

Inutile de penser à ça pour l'instant. Je change mon sac de main et continue de monter le chemin. Il fait de plus en plus noir et tout ce qui est blanc semble l'être plus encore : les grandes fleurs raides de la haie, les papillons de nuit et ma jupe. L'air sent extraordinairement bon. Il y a des hiboux par ici, mais je n'en ai pas encore vu un seul. Isabel le sait. *Cette année, un couple d'effraies a fait son nid.*

Finalement, c'est une chance que je sois aussi chargée, sinon je courrais et j'arriverais en sueur, essoufflée et énervée, ce que je veux précisément éviter. En plus, ça mettrait Richard en colère. *Isabel est incapable de gérer les émotions des autres en ce moment,* m'a-t-il dit. Elle n'est pas censée savoir que c'est lui qui m'a demandé de venir. Elle ne sera pas contente ; elle dira que ça casse mon rythme et que ça me fait perdre des commandes alors que j'ai travaillé tellement dur pour en avoir. Comme si je pouvais avoir envie d'être ailleurs qu'avec elle.

Lorsque le téléphone a sonné, j'étais dans mon bain. J'ai entendu sa voix sur le répondeur : « Nina, si tu es là, décroche. C'est Richard, c'est important. » Il savait que je le branchais souvent quand je travaillais. Je suis sortie de la baignoire en vitesse et j'ai attrapé le portable ainsi qu'une serviette pour me couvrir même s'il ne pouvait pas me voir.

« Qu'est-ce qui se passe ? Izzy va bien ?

— Pour l'amour du ciel, Nina, calme-toi.

— Elle a accouché ?

— Oui, elle a accouché.

— Comment elle va, je veux dire, c'est quoi...

— Un garçon. C'est un garçon.

— Un garçon. »

J'ai agrippé le téléphone et des gouttes d'eau ont roulé dessus. Isabel a un fils. Alors même que je me répétais ces mots elle vieillissait et s'éloignait, franchissant une porte qui se refermait d'un seul coup sur mon visage.

« Oui. Mais je crains que ça ne se soit pas passé tout à fait comme nous l'espérions. » Je percevais maintenant la tension dans sa voix, une voix curieusement monocorde. Je m'étais si souvent imaginé comment on m'annoncerait la nouvelle. C'était toujours Isabel qui m'appelait, le bébé blotti dans ses bras, tous deux épuisés mais triomphants d'avoir fini par se trouver. J'étais contente que ce soit un garçon. J'avais refusé de m'avouer jusqu'ici à quel point je ne souhaitais pas qu'Isabel ait une fille.

« Qu'est-ce qui s'est passé ?

— Je ne peux pas te donner tous les détails pour le moment. Je t'appelle de l'hôpital et ils vont bientôt m'autoriser à la voir.

— Richard, pourquoi elle est à l'hôpital ? Elle devait accoucher à la maison. » J'ai entendu ma voix, et son ton de reproche stupide.

« Eh bien, ça ne s'est pas passé tout à fait comme prévu. Elle a eu une rupture utérine. Ils ont sorti le bébé juste à temps », m'a-t-il répondu sèchement, comme si c'était ma faute. Je me suis tue pour essayer de comprendre le sens de ces mots. *Rupture. Utérine.*

« Tu veux dire qu'elle a eu une césarienne ?

— Non, une hystérectomie.

— Oh, mon Dieu. »

Nous sommes restés silencieux. J'ai pensé au petit berceau en bois fait à la main, une folie ridicule pour un seul enfant.

« Tout se passait bien, m'a-t-il expliqué. Comme elle l'avait prévu. Elle n'était même pas allongée. La sage-femme était là, à prendre le thé avec nous pendant qu'Isabel aérait les vêtements du bébé. Elle ne tenait pas en place, elle n'arrêtait pas de tourner en rond. » Il s'est interrompu. « Ce chemin, ce maudit chemin, je vais obliger Wilkinson à le goudronner, de gré ou de force. »

Wilkinson, c'est le fermier à qui appartient leur maison. « Pourquoi, l'ambulance n'a pas réussi à passer ? ai-je demandé.

— On n'a pas eu le temps de l'attendre. J'ai dû prendre le volant et la sage-femme a grimpé à l'arrière à côté d'elle.

— Mais elle va bien ? » ai-je insisté. Ce n'était plus l'eau du bain sur le téléphone à présent, c'était la sueur de mes mains.

« Elle s'en sortira », a répondu Richard. Il m'a balancé les mots comme des balles servies trop vite. Mais Richard ne joue pas au cricket. Son sang est aux trois quarts irlandais. Peut-être le devineriez-vous à ses yeux, plus bleus que des yeux anglais et plus en accord avec des cheveux noirs et une peau foncée qu'avec le teint clair des Anglais. Ou alors vous le devineriez à ses traits ramassés qui donnent à son visage l'air d'avoir été compressé. Il est grand, plus d'un mètre quatre-vingts, et costaud. Il me fait sursauter chaque fois que je tombe sur lui dans la maison.

J'étais bien en peine de savoir quelles questions poser. Je ne connais rien aux accouchements ni aux bébés. J'ai écouté le silence à l'autre bout du téléphone, puis je me suis dit qu'Isabel était en sécurité à l'hôpital, qu'on s'occupait d'elle. Plus personne ne meurt en couches aujourd'hui, même quand ça se passe mal. D'ici quelques jours elle serait chez elle.

J'ai senti l'odeur de l'hôpital comme si j'y étais. J'ai vu Isabel allongée sur un de ces chariots, les yeux fermés, le visage tordu par la douleur. Son ventre était creux, là où ils avaient enlevé le bébé. Son utérus, ce truc d'adulte qui avait saigné trois ans avant le mien, avait disparu. Les roues ont grincé et deux hommes l'ont poussée très vite le long du couloir en direction d'un ascenseur. Derrière la porte, décomposé, Richard regardait lui aussi. Je savais qu'il devait avoir cet air furieux et impuissant.

« J'arrive, lui ai-je dit, je peux être là dans moins de trois heures.

— Pas la peine de venir maintenant. J'avais prévu de prendre cette semaine de toute façon. Par contre, je serai en Corée la semaine prochaine, et elle aura besoin de quelqu'un à ce moment-là. Elle sortira juste de l'hôpital. »

Ma bouche s'est ouverte pour lui demander s'il ne pouvait pas annuler son voyage, puis elle s'est refermée. Richard est un économiste spécialisé dans le développement de modèles informatiques pour les économies en croissance rapide. Il n'y a pas beaucoup de travail pour lui en Europe. Il semblerait qu'il soit doué, obstiné, et indispensable dans sa branche. Ce n'est pas Isabel qui me l'a dit — elle ne parle jamais du travail de Richard, je l'ai lu dans un article du *Financial Times* qui expliquait que, si Maynard Keynes devait renaître, ce serait sous les traits de Richard.

« Bien sûr que je vais venir. Dès qu'Isabel aura besoin de moi.

— Super. »

Mes mains tremblaient quand j'ai enfoncé l'antenne du téléphone avant de le reposer sur son socle. Je sentais une douleur à la gorge, comme si cette conversation avec Richard m'avait fait mal. Je me suis aperçue que je serrais la serviette autour de moi. Alors j'ai relâché les doigts et je l'ai laissée tomber. Mon ventre est apparu, pâle et intact. J'ai revu celui d'Isabel l'été, bronzé, avec son nombril en creux. J'ai touché ma peau et passé ma main dessus pour bien sentir l'absence de cicatrice. Ensuite j'ai filé à la cuisine, je me suis coupé un gros morceau de baguette blanche et fraîche, j'y ai étalé du beurre et de la confiture d'abricot puis je l'ai englouti d'un seul coup. J'ai essuyé la sueur qui perlait sur mon front et j'ai continué de manger. Je n'allais pas me laisser aller à réfléchir aux paroles de Richard, pas encore.

Il y a près d'un kilomètre de chemin entre la route et la maison d'Isabel. Je marche plus lentement à présent, pour faire durer le moment qui précède mon arrivée. C'est une habitude que j'ai : je trouve qu'en me retenant de faire ce dont j'ai envie ça augmente le plaisir que j'en retire à la fin. Mais cette fois-ci la raison est différente. J'ai peur de commettre une erreur. De dire ce qu'il ne faut pas, de la toucher alors qu'elle ne veut pas qu'on la touche, d'admirer le bébé alors que tout ce qui l'intéresse ce sont les autres, ceux qu'elle ne pourra plus avoir. Il m'arrive parfois d'être maladroite. Richard me fait sentir que je le suis la plupart du temps. Je suis toujours trop présente à son goût.

C'est à ce moment-là que je la vois : une chouette, les ailes déployées, avance devant moi sur le chemin. Elle est tellement légère qu'elle me rappelle une phrase :

« *A la façon dont certains oiseaux volent, on croirait qu'ils baisent l'air.* »

C'est de qui ? Impossible de m'en souvenir. Quelqu'un dont je n'attendais pas ce genre de réflexion en tout cas, parce que ça m'a surprise.

La chouette va arriver avant moi. Je change mon sac de main une fois de plus et continue d'avancer d'un pas lourd.

3

Mais à mon arrivée Isabel dort déjà. Sur la large dalle en pierre, Richard a sorti une chaise de cuisine et il s'y est assis, un verre de bière à la main. Ce que je vois d'abord dans la pénombre estivale n'est pas une personne, mais plutôt une masse qui me barre l'accès à la maison. Je me rapproche et, comme dans un puzzle, les ombres s'assemblent pour laisser apparaître Richard. Son journal est tombé à côté de la chaise, on dirait une tente.

« Elle dort, m'annonce-t-il d'emblée. Il vaut mieux que tu attendes demain matin. Je ne pensais pas que tu arriverais si tard.

— J'avais un rendez-vous. Ça a duré plus longtemps que prévu. » Comme d'habitude je me rends compte à quel point mon univers semble pauvre, confronté à celui de Richard. Pour lui, toute réunion de plus d'une heure est une perte de temps.

« J'ai vu une de tes photos, déclare-t-il tout à trac, c'était dans le *Telegraph,* non ?

— Dans le magazine, oui, dis-je trop rapidement.

— Intéressant, comme sujet. »

Il s'agissait d'un mariage chez des gens du voyage, en Irlande. J'avais accompagné quelqu'un qui connaissait le marié. Au début, la boisson et les danses m'avaient mise mal à l'aise. Je ne bois pas quand je travaille, et je ne danse pas non plus, ou alors pas souvent, ni facilement. Je ne connaissais personne, même pas l'homme qui m'y avait emmenée, ou du moins pas vraiment, mais j'ai parlé avec une flopée d'enfants assis sur les marches d'une roulotte. Ils voulaient regarder l'appareil photo, comme tous les gamins. J'avais aussi emporté un Polaroïd, ce qui a facilité les choses. Même de nos jours les gens refusent souvent qu'on les prenne en photo, ou alors ils veulent quelque chose en échange, de l'argent ou autre. Ce mariage m'avait plu et ça s'est vu sur les clichés. J'aimais leur façon de dépenser l'argent qu'ils n'avaient pas, et les enfants qui comprenaient tout : ils voyaient les bagarres succéder aux beuveries mais ils adoraient ça, de cette façon innocente qu'ont les enfants de craindre une chose et de l'aimer en même temps. Une fillette avait tendu la main vers moi pour quémander une pièce, et une autre l'avait tapée parce que je leur avais déjà donné leur photo. Elle ne lui avait pas fait mal, juste une petite tape pour montrer qu'elle connaissait les bonnes manières. J'ai pris un billet de dix livres, que j'ai plié serré, puis j'ai refermé sa main autour et la grande fille a promis de s'assurer que sa maman le lui mettrait de côté.

« Elle était bien, dit Richard. C'était une bonne composition. »

Je souris dans l'obscurité. Normalement, je n'aime pas que les gens qui n'y connaissent rien utilisent ce genre de termes, mais, ce soir, je suis touchée qu'il ait pris la peine de remarquer mon travail et qu'il m'en félicite. Ça me paraît un bon signe.

Derrière nous la maison est silencieuse. « Où est le bébé ?

— Avec Susan. Oh, j'ai oublié, tu ne sais probablement pas qui c'est. Susan Wilkinson. Elle vient juste d'avoir son diplôme de *nurse* et elle va seconder Isabel pendant quelques mois. Elle dormira ici les premières semaines, puis, une fois qu'Isabel sera rétablie, elle viendra chaque jour mais elle couchera chez elle. Ça vaudra mieux. Elle me tape déjà sur les nerfs.

— Elle s'occupe bien du bébé ?

— Très bien. »

Nous disons « le bébé », comme avant sa naissance. Il a un prénom, mais je ne trouve pas que c'est un prénom de bébé. Il s'appelle Antony. Plus tard, quand ça ne risquera plus d'être pris pour une critique, j'interrogerai Isabel sur les raisons de leur choix.

« Je vais entrer », dis-je. Richard lève les yeux mais s'écarte à peine et je dois le contourner pour pénétrer dans la cuisine. Cette pièce sent le vieux, le frais et un peu le renfermé, comme si personne n'y avait cuisiné depuis longtemps. Je tire sur le cordon pour allumer la lumière. C'est une grande salle au sol de pierre, recouvert de quelques tapis crasseux en lirette qui étaient déjà là avant l'arrivée d'Isabel. Il y a aussi une cuisinière électrique qui semble trop petite pour la pièce, et des placards, beaucoup de placards, dans lesquels on trouve parfois des crottes de souris.

Il y a une table carrée avec des entailles de couteaux, et dessus un tas de groseilles à maquereau dans une passoire en bois. Un fourneau dont on ne se sert jamais est appuyé contre un mur. Autrefois, les Wilkinson vivaient ici dans cette ferme, avant de gagner assez d'argent grâce à la vente d'une centaine d'hectares — à l'époque où le prix des terrains était élevé — pour qu'ils se fassent construire la maison de leurs rêves deux prés plus loin. A un moment donné, je m'étais dit que j'aimerais bien faire un collage avec les images de ces deux maisons, tels deux jeux de cartes distribués ensemble. Puis j'ai décidé que ce serait trop facile, et trop évident. Mme Wilkinson a une cuisine sur mesure en chêne clair. Elle a bon goût.

J'adore cette pièce. Elle me paraît parfaitement belle, tout comme ma sœur me paraît parfaitement belle. Et ça me met en colère. Pour un peu, je me refuserais à voir cette beauté. Si je trouve cette pièce belle et qu'elle éveille spontanément en moi ce petit frisson quasi sexuel, que dire de mon appartement mansardé aux murs blancs et aux fenêtres à angles bizarres d'où l'on aperçoit les tuyaux de cheminée et les tuiles des autres maisons ? Je serais tout aussi incapable de créer une cuisine comme celle d'Isabel que de voler dans les airs.

La maison ne lui appartient pas. Elle la loue aux Wilkinson, qui parlent de temps à autre de la rénover pour leurs fils quand ils se marieront. J'ai vu Margery Wilkinson y boire le thé en jetant un regard circulaire et scrutateur vers une fenêtre qui aurait bien besoin d'un double vitrage, ou vers des étagères qu'il faudrait enlever. Mais Isabel vit ici comme si elle allait toujours y vivre. D'où sa volonté d'accoucher à la maison, en haut, dans son lit, pour que ce soit ici que le bébé ouvre les yeux la première fois. Je suppose que Richard aimerait bien acheter une maison, mais Isabel ne partira pas à moins d'y être obligée. Il devait le savoir lorsqu'il l'a épousée.

Richard entre en bâillant, jette le journal sur la table et sort la bouteille de whisky du placard, ainsi que deux petits verres. Je secoue la tête. C'est une des rares boissons que je n'aime pas.

« Tu devrais, me conseille-t-il, c'est le seul moyen d'avoir une bonne nuit de sommeil ici.

— Il pleure beaucoup ?

— Je ne sais pas ce qu'ils sont supposés faire, mais on dirait qu'il passe la majeure partie de la nuit à ça. En prime, Susan trottine de-ci de-là en pyjama ; on ne peut pas dire que ce soit reposant. Mais elle ne voit absolument pas pourquoi je devrais dormir alors qu'Isabel et elle sont réveillées. »

Je prends le verre qu'il me tend. Il le remplit, pas trop, et je suis à nouveau contente. Le whisky a un goût dégueulasse, comme d'habitude. Il s'en verse un autre immédiatement.

« Et en prime, cette satanée fille est branchée religion, m'explique-t-il.

— Qui, Susan ?

— Moui. Elle est allée à une sorte de rassemblement religieux cet été et depuis elle n'arrête pas d'en parler. Bon courage aux enfants dont elle s'occupera. Elle va être *nurse,* tu sais.

— Mais tu n'as pas encore à t'inquiéter pour le bébé, si ?

— Non, probablement pas. Mais c'est pénible pour Isabel... » Il fronce les sourcils. « Comme si le bébé et tout le reste ne suffisaient pas. »

Je le regarde. A ce moment précis, je me rends compte que depuis qu'Isabel m'a annoncé qu'elle était enceinte, je me suis trompée sur toute la ligne. C'est un accident, m'avait-elle dit, les paupières mi-closes, un léger sourire aux lèvres. Elle n'avait pas l'air inquiète, mais calme, et je l'avais crue bien sûr. J'ai pour habitude de croire à sa version des faits. La composition était aussi délibérée que la photo d'un enfant mendiant seul dans une rue déserte, soigneusement prise à un angle qui élimine la mère à trois mètres de là. Ce n'était pas Richard qui avait voulu le bébé, c'était Isabel. Richard, lui, voulait que leur vie de couple continue comme avant, sans présences imposées de l'extérieur. D'abord Susan Wilkinson, puis maintenant moi. Et le bébé. Il ferait de son mieux pour le bébé parce qu'il était comme ça, mais il aurait préféré rester seul avec Isabel. Cela ne le dérangeait pas du tout qu'il n'y ait pas d'autres enfants.

Je sais ce qu'il ressent, parce que je ressens la même chose.

Je tends mon verre et il me ressert un whisky qui me troue l'estomac, comme le soleil à travers une loupe brûle l'herbe un jour de grande chaleur. Je m'appuie contre le mur et l'alcool glisse dans mes veines.

« Tu la verras demain matin, continue Richard en

dépliant le journal et en le repliant avec les pages dans le bon ordre. Je pars à 6 heures, donc, moi, je ne te verrai pas.

— Oh.

— Préviens Susan que je serai de retour vendredi. J'ai écourté le voyage. Elle a peut-être oublié, elle est un peu nunuche. Je lui ai donné une liste de numéros de téléphone pour toi. S'il y a un problème, tu m'appelles.

— Bien sûr. » Je réponds trop vite, et sur un ton trop désinvolte. Il me reprend aussitôt : « Je ne dis pas ça en l'air. Si elle se remet à aller mal, ne va pas t'imaginer que tu peux t'en sortir seule. Appelle-moi tout de suite. »

Il est imposant, plus adulte et plus expérimenté que je ne le serai jamais. Mais il oscille un peu, tête baissée, comme un animal attiré par un appât légèrement hors de sa vue. De l'autre côté de ce mur froid, il y a un couloir, puis un escalier, et en haut il y a sept portes. Derrière l'une d'elles, il y a Isabel, endormie. Dans cette chambre, l'odeur conjugale s'évanouit dès que Richard s'en va, puis elle reprend celle d'Isabel. L'odeur de sa peau, de ses cheveux, de son savon à l'avoine posé sur le lavabo, et des vêtements qu'elle a enlevés pour les accrocher derrière la porte. Elle met toujours le même parfum, que je n'achèterai pas, même s'il me plaît. Dans les grands magasins je m'en suis parfois aspergée, et l'espace de quelques secondes je suis devenue quelqu'un d'autre. Pas tout à fait Isabel. Je ne suis pas douée pour les parfums ni pour le maquillage, pas douée pour les vêtements. Il m'a fallu des années pour comprendre à quel point c'était bien plus facile de se raser les jambes ou de prendre rendez-vous chez un bon coiffeur... Ça m'a toujours semblé tellement compliqué d'être une femme. « Ma taille », « Ce qui me va », les autres échangent des histoires de frottis, d'examens ou d'échantillons. J'aimerais avoir cette assurance, croire que ces choses font partie de moi, et inversement. Peut-être est-ce pour cela que ça me convient de prendre des photos. On ne regarde pas le photographe.

Une fois, pourtant, j'ai fait une série d'autoportraits. Au début, c'était dur, mais c'est devenu plus facile au fur et à mesure. Sur l'un, j'étais nue. Pas nue comme je voudrais que l'on me voie, ni posant nue, ni sexuellement dénudée non plus. Juste nue. C'était bizarre comme expérience, et à l'époque je ne savais pas du tout pourquoi je le faisais. Mais cela a marché. Tout ce qui me mettait mal à l'aise s'est morcelé en grains noirs et blancs. Je n'avais qu'à penser aux aspects techniques. Au bout du compte, ça m'a bien plu de regarder ces formes et ces angles, de voir ce que la lumière en avait fait. J'avais rendu justice à ma chair et à mon sang.

Je me demande si Isabel dort vraiment.

4

Je suis réveillée à 5 heures. J'ai envie de faire pipi, mais j'entends Richard aller et venir, l'eau couler, les portes s'ouvrir et se fermer, et puis un son ténu et étonné que je n'identifie pas tout de suite. Le bébé bien sûr. Il pleure par à-coups puis s'arrête brusquement. La lumière est douce et grise. J'ai laissé mes rideaux ouverts. Ce côté-ci de la maison ne donne pas sur le jardin d'Isabel mais sur l'étang et les granges. Une famille de canards barbote et les canetons pataugent avec la plus grande prudence dans le sillage de leur mère. Une rosée grise s'est déposée sur l'herbe, là où les canards ont marché et laissé leurs empreintes.

En bas, une porte claque. Richard s'en va. J'entends crisser ses pas tandis qu'il se dirige vers le carré de gravier où est garée la voiture. Je me penche au-dehors et sens l'air frais sur mes bras. J'ai toujours envie de faire pipi. La portière de la voiture se ferme avec un bruit sourd, le moteur tourne, les pneus font gicler les gravillons ; le voilà parti. Pendant un long moment, j'écoute gémir le moteur qui descend lentement le chemin, en seconde.

Je sors dans le couloir. Aucun signe de Susan et aucun bruit de bébé. La porte d'Isabel est fermée. J'entre dans la salle de bains où un énorme W.-C. au siège en acajou trône à côté de la baignoire. Je fais pipi tranquillement et tire sur la longue chaîne. L'eau rugit sur la porcelaine craquelée, noyant l'inscription *Victrix*. L'eau bouillonne dans la chasse puis le silence revient. Tout le monde doit dormir. Je regarde ma montre : 6 h 05.

Je me lave les mains et la figure à l'eau froide, très calcaire, puis je me glisse à nouveau dans la chambre où j'enfile mon jean et le débardeur rouge que j'ai lavé et fait sécher pendant la nuit. Il est un peu humide mais c'est agréable. Il va faire chaud aujourd'hui encore. La chaleur est partout cet été, roulée pendant la nuit comme une couverture. Je pourrais sortir. Dans le jardin peut-être, pour voir à quel point il a changé depuis la dernière fois. Ou je pourrais traverser la cour de la ferme et prendre l'étroit sentier qui mène aux collines des Downs. Mais je suis ici pour m'occuper d'Isabel qui dort peut-être, à moins qu'elle soit étendue sur le dos à regarder par la fenêtre, le front barré d'une ride unique et verticale, cette ride qui apparaît quand elle souffre. Je ressors dans le couloir et sens le plancher frais et lisse sous mes pieds nus.

« Nina ? Nina, c'est toi ? »

Notre mère ne nous autorisait pas à nous interpeller d'une pièce à l'autre. « Si tu as quelque chose à dire à Isabel, tu vas la trouver. » Je me souviens d'avoir regardé, ébahie, une camarade d'école brailler « Ma-man ! Je suis là ! » en ouvrant la porte de chez elle. Si nous voulions parler à notre mère, nous avions le droit d'aller la voir dans son atelier. Nous le faisions rarement. La porte était fermée et, derrière, elle travaillait. Lorsque nous entrions, elle levait les yeux rapidement pendant que ses mains glissantes continuaient de contrôler la glaise vivante au toucher, et la plupart des choses que nous allions dire semblaient alors sans importance.

« Nina ? »

J'ouvre la porte. Elle est là, assise dans son lit. « Isabel !

— Entre, ma chérie. Ferme la porte, sinon Susan va encore revenir. »

Elle sourit, met de côté le papier sur lequel elle était en train d'écrire mais garde son stylo à la main. Elle a chaussé ses lunettes cerclées de métal qu'elle a trouvées dans un magasin d'occasion et avec lesquelles elle prétend voir parfaitement bien. Je me dirige vers le lit et je lui souris, un grand sourire muet qui s'élargit jusqu'à ce que je ne sache plus quoi en faire. Isabel tend une main et lève le visage en fermant les yeux pour que je l'embrasse.

Je l'embrasse doucement, sur la joue. Isabel est lisse et chaude, comme toujours, mais j'ai peur de la secouer et de réveiller la douleur que je sais cachée quelque part sous les draps. Elle ouvre les yeux et fronce le nez.

« Ce n'était pas un vrai baiser. Adorable, ton débardeur, Nina. Tu devrais porter des couleurs comme ça plus souvent, au lieu de tout ce noir. »

Je jette un coup d'œil sur ses papiers, trois ou quatre feuillets remplis d'une écriture serrée. Elle surprend mon regard et dit : « J'écrivais à Edward. Il arrive après-demain, pour quelques jours. Avec Alex, ils se sont encore disputés. »

Je regarde Isabel fixement. « Et il n'a rien trouvé de mieux que de venir te voir maintenant, alors que tu es encore malade ? Il a réfléchi à qui s'occuperait de lui ? »

Elle sourit et hausse les épaules. « Tu connais Edward. Il n'est pas très encombrant. Il a juste envie de changer d'air quelques jours et d'essayer de faire le point. J'ai reçu une longue lettre de lui hier.

— Richard est au courant ?

— Bien sûr. »

En entrant, je lui avais trouvé bonne mine, mais maintenant je m'aperçois qu'elle est blême sous son bronzage habituel. Quand Isabel est fatiguée ou malade, ça ne se voit pas facilement. Elle bouge les jambes sous le couvre-lit en coton.

« Je suis supposée faire ces exercices fréquemment pour éviter les caillots, m'explique-t-elle. Heureusement que personne ne vous parle de tout ça avant. Je ne devrais pas t'en parler, d'ailleurs. » Entre nous perdure ce mythe selon lequel, un jour, je pourrais vouloir des enfants.

« Est-ce que tout se remet en place comme il faut ? » Ma question prudente la fait rire.

« Ne t'inquiète pas, Neen. Je ne vais pas te montrer. Mais ce n'est pas aussi terrible que ce que tu crois. D'après la sage-femme, je cicatrise bien. »

Quand elle était enceinte, Isabel parlait beaucoup de la sage-femme. *Sage-femme* sonnait comme un mot archaïque mais n'en était pas un. J'imaginais cette dernière pleine de bon sens, de sagesse, avec des yeux rayonnant de bonté, des mains fraîches et des mèches grises. C'était peut-être ainsi qu'Isabel voulait qu'elle soit. Mais je l'avais rencontrée une fois et j'avais découvert une blonde fluette au volant d'une Ford Fiesta. Isabel et moi avions l'habitude d'exagérer nos vies respectives. Je représentais Londres, une série de petits appartements avec un voisin du dessous qui écoutait *Do You Really Love Me ?,* les haut-parleurs accrochés aux fenêtres, tandis que mon téléphone sonnait à minuit ; à moi travail et partenaires multiples, mais rapports sexuels protégés, à moi les virées nocturnes en quête d'une pharmacie de nuit, et les crises et les dépenses folles, l'insatisfaction permanente. En ce qui concernait Isabel, c'était plus long à expliquer. Tout avait débuté comme un jeu, celui auquel jouent des sœurs qui ont besoin de découvrir à quel point elles sont différentes. En fin de compte, le jeu se jouait de nous.

« Ça ne me dérange pas que tu me montres », lui dis-je.

Isabel hausse les sourcils. Elle repousse le couvre-lit et remonte sa chemise de nuit. « Ils viennent juste d'enlever le pansement et les agrafes. » Elle a raison, ce n'est pas aussi horrible que ce que j'avais imaginé. La cicatrice est une ligne d'un rouge violacé, entourée de ce qui ressemble à des rangées de marques de dents. « C'est là qu'il y avait les agrafes, m'explique-t-elle, et c'est là qu'ils ont mis le drain. » Elle baisse les yeux vers sa cicatrice, l'air absorbé. « Ils n'arrêtent pas de me répéter que je pourrai quand même porter un bikini. »

Ses poils pubiens ont été rasés et son ventre est couvert de gros bleus. « Ils pensent à tout, dit-elle.

— A quoi il ressemble ? »

Une expression mystérieuse que je connais bien passe sur le visage d'Isabel. Elle avait toujours cet air-là lorsqu'elle se faisait de nouveaux amis qu'elle ne voulait pas que je rencontre. « Absolument pas à ce que j'attendais, répond-elle. Tu verras.

— Je suis impatiente de le voir.

— C'est merveilleux quand il dort. Susan l'a emmené parce qu'il y a trop de lumière ici. Il s'imagine que c'est le matin. Mais je vais devoir l'allaiter de nouveau à 7 heures. » Elle fronce les sourcils et remonte ses lunettes sur son nez.

« Dis-moi juste de quoi tu as besoin. Je suis venue pour t'aider. »

Le visage d'Isabel s'éclaire. « Oh, Neen, j'ai passé la moitié de la nuit à y réfléchir. Tu sais, les trois nouveaux pommiers que j'avais plantés dans le carré près du mur du fond ? Richard ne les a probablement pas arrosés, alors qu'il leur faut des litres et des litres avec cette chaleur. Est-ce que tu pourrais tirer le tuyau d'arrosage et laisser l'eau couler ?

— Bien sûr », dis-je. Puis j'ajoute : « C'est dommage que Richard ait pris la voiture. Je l'aurais volontiers conduit à l'aéroport pour qu'on puisse profiter de l'auto pendant son absence.

— Je n'y ai même pas pensé, j'oublie toujours que tu as ton permis. » Elle, elle ne l'a pas. J'ai pris des leçons il y a cinq ans, quand j'ai commencé à avoir des commandes pour lesquelles je devais me déplacer.

« Le village n'est qu'à deux petits kilomètres à vol d'oiseau, m'informe Isabel.

— Mais pas en poussant un landau.

— Il ne sera pas dans un landau. J'ai un sac kangourou.

— Tu as quand même bien un landau, non ? » Cela faisait partie de mes projets d'emmener le bébé pour de longues promenades pendant qu'Isabel dormirait. Je n'avais jamais poussé de landau et l'idée me plaisait bien.

« Je ne m'en suis pas souciée. Susan le promènerait où ? Parce qu'à part faire des allers et retours sur le chemin... On arrangera quelque chose au retour de Richard. »

En revanche, elle a des piles de vêtements glanés ici et là, des chemises de nuit blanches toutes simples et des gilets tricotés main. Elle y a même brodé de minuscules canards et des pommes. La dernière fois que je suis venue, je l'ai regardée broder, une nouvelle activité pour ses longs doigts agiles.

Isabel s'enfonce tout à coup dans les oreillers. « Je suis tellement fatiguée », dit-elle, d'une voix arrachée d'un endroit qu'elle refuse de me montrer.

« Je vais te laisser dormir.

— Non, ne pars pas tout de suite. » Ses yeux se ferment, très fort, les paupières scellées sur ses globes oculaires. Son visage est amaigri mais ses seins sont ronds et fermes comme des galets sous le fin linon de sa chemise de nuit. Le stylo qui s'est échappé de sa main tache le couvre-lit. Je le ramasse sans rien dire, ainsi que les feuillets, où je lis *Richard pense...* Je les dépose sur sa table de chevet.

« Tu veux que je t'apporte quelque chose ? »

Sa tête oscille lentement sur l'oreiller, d'un côté puis de l'autre. Non. Une de ses mains glisse vers moi d'un ou deux centimètres, paume en l'air. Je la prends et la serre dans la mienne.

« Je vais m'asseoir ici si tu veux », lui dis-je d'une voix douce, et il me semble qu'elle sourit. Je reste tranquillement là à lui tenir la main. Son lit est placé de telle façon qu'on a une vue directe sur le jardin, ainsi que sur les prés et les Downs au-delà du mur. J'aperçois un arbre dont les fruits rouges semblent tomber en petites gouttes sur les pierres de ce même mur. Plusieurs vaches pénètrent dans l'un des prés à la queue leu leu, et, d'ici, on les croirait livrées à elles-mêmes. Mais j'entends ensuite un vague cri de l'autre côté de la vitre, une voix d'homme, qui commande au troupeau. Puis un autre cri, pas vague du tout celui-là, lui répond à l'intérieur de la maison. Le bébé. J'ai l'impression d'un papier de verre qui râperait ma peau. Je sens qu'Isabel est tendue. Je baisse les yeux et vois deux auréoles poindre à hauteur de chaque mamelon comme des poissons sauteurs. Son lait. Elle se tourne, ouvre les yeux et entreprend, gauchement, de se soulever sur un coude.

« Dis à Susan de l'amener. Je ne veux pas qu'il pleure. »

A côté d'Isabel, Susan paraît d'une bonne santé insolente. Ses courtes boucles blondes effleurent la joue de ma sœur quand elle se penche et qu'elle lui dépose le bébé dans les bras, avec des précautions exagérées me semble-t-il. Il est tout violet, et ses bras et ses jambes remuent faiblement lorsqu'il se sent tomber dans les airs. Il bute contre Isabel et se met à hurler.

« Il a senti le lait ! » s'écrie Susan. Une dispute éclate entre le sein d'Isabel et le bébé qui n'a pas l'air de savoir qu'en faire. « Il n'est pas accroché ! Il n'est pas accroché ! glapit Susan.

— D'accord, d'accord », répond Isabel d'une voix basse et furieuse. Le bébé plonge vers son nombril, la tête branlante. Puis la lutte recommence, le bébé crie de plus belle, Susan l'oblige à relever la tête et un filet de sueur apparaît sur le front d'Isabel. Puis tout d'un coup, c'est le silence.

« Doux Jésus ! » s'exclame Isabel. Le bébé tète à grand bruit, et de violet il devient rose. Susan se recule, et la main libre d'Isabel vient lentement entourer le bébé tandis que son annulaire et son majeur lui tapotent le dos.

« Ooooh, on l'a mis du mauvais côté, je ne m'en étais pas rendu compte, dit Susan.

— Eh bien, ce n'est sûrement pas maintenant qu'on va l'enlever, rétorque Isabel, les yeux fermés.

— Je peux te préparer une tasse de thé ? » dis-je. Isabel me lance un vague coup d'œil. « Susan va y aller. Elle sait où sont les choses », répond-elle avec fermeté, et Susan s'éloigne d'un pas sec et vif qui semble être aussi un reproche.

« Quand elle n'est pas là ça se passe autrement, m'explique Isabel.

— C'était... » Je cherche mes mots. « Extraordinaire. »

Isabel rit. « Profite donc de l'absence de Susan pour bien le détailler. Il te plaît ? »

Je le regarde. Maintenant qu'il est calme, je remarque son teint clair, et ses quelques cheveux. Ses yeux sont hermétiquement clos.

« Il est drôlement gros ! Moi qui pensais qu'il serait minuscule et brun », dit Isabel.

Minuscule et brun, comme je l'étais. Isabel doit s'en souvenir. « Il ne ressemble pas beaucoup à Richard.

— Non », reconnaît Isabel, mais elle n'écoute qu'à moitié à présent. Un doigt touche la plante d'un pied violet qui pendouille et donne des coups convulsifs. Son regard est distant, tourné vers l'intérieur. Je me rappelle tout à coup comment elle éjectait ma poupée du landau que nous partagions afin d'y allonger la sienne.

« Je veux que tu le prennes en photo », dit-elle.

5

Je suis assise sous le figuier, avec ses grandes feuilles tout autour de moi, comme des mains qui me protègent du soleil. Il y a des tas de figues cette année, et pour une fois elles vont mûrir. Leur odeur chaude et épicée emplit l'espace ombragé où je suis installée. Il est 14 h 30 et le ciel est blanc de chaleur. Par ce temps-là, on fuit l'éclat du soleil, dans l'attente de la lumière basse du soir. Ça ne me dérange pas, pas ici à des kilomètres de Londres, avec pour seul bruit de circulation le sifflet lointain d'un train à l'approche du passage à niveau et sans personne qui se bouscule dans mon ombre. Celle des feuilles de figuier est incroyablement nette, presque plus que les feuilles elles-mêmes. J'avance mon pied, jusqu'à ce que la limite de l'ombre le coupe, puis je le retire.

D'ici, on ne voit pas la maison, qui ne vous voit pas non plus. Ou plutôt, en ce moment, personne dans la maison ne peut me voir. Je fais le décompte : Susan, dans toute sa splendeur cet après-midi parce que l'infirmière passe à 15 heures. Isabel, qui doit être là aussi. Edward, qui a passé la majeure partie de la matinée au lit pour récupérer et y est probablement retourné après avoir bien déjeuné. Récupérer de quoi ? De trop de sexe avec les mauvaises personnes, voilà à quoi ça se résume, même si Isabel et lui en ont fait cette chose autre qui déploie ses tentacules partout dans la maison. Chaque fois que j'entre dans une pièce, Edward est là, sur un petit tabouret, maussade, le menton entre les mains, occupé à expliquer à Isabel l'énigme de son être. Dès qu'il me voit, il s'arrête. En bon acteur, il sait juger d'instinct la qualité de son public.

Susan a flairé le danger. Edward menace clairement de détourner l'attention d'Isabel du bébé. Du coup, Susan a tenté de l'envoyer en mission, à la recherche d'un type bien particulier de crème contre l'érythème fessier ; par la même occasion, elle a ajouté une petite liste de choses qu'il ferait aussi bien de rapporter tant qu'il y était. Edward non plus ne sait pas conduire et cela l'aurait obligé à prendre deux bus. De quoi le tenir à l'écart de la maison pendant plusieurs heures. Il n'a pas refusé. Il ne refuse jamais. Il a souri à Susan et attendu qu'elle reparte.

Le bébé dort. Ce bébé dort de tout son cœur. J'éprouve de plus en plus de plaisir à le regarder, à voir les motifs qu'il dessine sur ses draps en flanelle blanche, la façon qu'il a de se laisser emporter par le courant du sommeil, les lèvres pincées et le visage tellement lisse qu'il semble ne pas avoir de traits. Ou alors juste son petit bout de nez parfait, sous certains angles. Je le regarde un bon moment, mais je n'ai pas encore pris de photos ni sorti mon crayon. C'est difficile d'arriver à se retrouver seule avec lui. Il appartient à Isabel. Je n'ai pas envie de dessiner l'arrondi du bras de ma sœur autour de lui, ni la façon dont le cou d'Isabel penche, ni les jambes du bébé qui s'enroulent vers sa poitrine. A cause de la chaleur, il est souvent nu quand elle l'allaite. Isabel m'offre ce spectacle en permanence, mais je n'en veux pas. Je le connais déjà.

Bien sûr, il y a aussi autre chose en jeu. Je suis jalouse, c'est évident. Mais de qui ?

J'ai apporté un carnet de croquis. Juste un petit, avec des feuillets de la taille d'une carte postale. J'ai envie de faire des dessins comme au travers d'un trou de serrure, afin que le cadrage de l'image devienne aussi important que l'image elle-même. Mais je n'ai plus l'œil. Je ne dessine plus assez souvent. Il est impératif de dessiner chaque jour si l'on veut garder l'œil. Et la main, et le reste. C'est ma mère qui, la première, m'a appris à dessiner. Lorsque je m'emportais contre moi-même et froissais ma feuille en boule, elle me disait : « Ce n'est pas grave. Mieux vaut faire un dessin que de ne pas en faire du tout, même s'il n'est pas bon. Grâce à lui tu en feras un meilleur demain. » Elle n'avait pas de temps à perdre avec ceux qui visaient la perfection en tout. Et je me revois, assise dans son atelier face à l'enchevêtrement des toits au-dessus de la plage. Quoique, à y regarder de plus près, ils n'étaient pas enchevêtrés du tout. Chaque toit respectait précisément l'espace et l'inclinaison du paysage. Je l'entends encore me dire : « Il faut que tu *regardes,* Nina. » Et puis sa main passait par-dessus mon épaule, prenait un bout de papier et dessinait rapidement.

« C'est juste ma façon de voir », m'expliquait-elle. Ses mains étaient longues, comme celles d'Isabel, mais beaucoup moins lisses. On voyait qu'elle travaillait avec. « Je crois vraiment que si tu t'accroches tu finiras par être meilleure que moi. »

Je vais dessiner ce chou, là, ce gros chou solitaire tapi au milieu d'un lit de grands coquelicots. Rapidement, sans trop réfléchir. Je prends une nouvelle page, tiens mon crayon comme un outil tranchant et me lance.

Il ne me fait pas sursauter. Lorsque l'on regarde aussi intensément, on remarque tous les changements de lumière, et son ombre est grande, comme lui. Il est encore en costume.

« Je me suis dit que je trouverais un peu de fraîcheur par ici, me lance-t-il. Ça ne te dérange pas si je m'assieds à côté de toi ? »

Je lui fais de la place sur le banc en bois et referme le carnet. « Non, bien sûr que non.

— Je ne voudrais pas t'empêcher de travailler. »

Je lève les yeux, heureuse et surprise. « Je m'y remettrai. L'infirmière est toujours là ?

— Je n'ai pas encore mis les pieds dans la chambre », dit Richard.

Il a l'air fatigué, sa peau mate a une teinte cireuse. « Il y avait trop de monde, m'explique-t-il. J'irai la voir quand elle sera seule. J'ai appelé de l'aéroport.

— Edward est là.

— Oui, je m'en doutais un peu.

— Alex passera peut-être aussi pendant le week-end. »

Richard ne répond pas. Il regarde le jardin fixement et ferme les yeux pour lutter contre la lumière éclatante.

« Et toi tu dessines un chou.

— Je suis parfaitement heureuse », dis-je, et c'est vrai.

Il se tourne, me regarde, puis reprend : « Je ne l'avais jamais remarqué jusqu'ici, mais tu ressembles vraiment à ta mère, non ? Il y a une photo d'elle en plein travail où elle a le même air que toi tout à l'heure.

— Tu n'as jamais vu mon père non plus.

— Non, et je le regrette. Isabel l'aimait beaucoup.

— C'était un sacré égoïste, dis-je soudain, comme malgré moi. Je ne m'en étais jamais rendu compte avant sa mort. Ce n'était pas possible tant qu'on était avec lui.

— D'après Isabel, c'est ta mère qui était égoïste. Avant la naissance du bébé, elle disait qu'il lui suffirait de repenser à la manière dont votre mère se comportait avec vous deux puis de faire le contraire. »

Il me regarde avec insistance. Je me demande si

nous parlons toujours de mes parents, ou bien de moi et d'Isabel. « Je sais ce qu'elle pense, dis-je, mais si elle s'était intéressée au travail de ma mère elle aurait peut-être vu les choses différemment.

— Tu dis “ma mère”, comme Isabel. Pas “notre mère”.

— On ne la voit pas de la même façon. »

Une partie de moi a hâte qu'il s'en aille afin que je puisse reprendre mon crayon. Parce que maintenant je découvre une meilleure façon de dessiner ce chou. D'un autre côté, je n'ai jamais parlé aussi librement avec lui.

« Le bébé lui ressemble un peu, dis-je soudain.

— A qui ?

— A mon père. Notre père. Son grand-père. » Cette évidence m'apparaît d'un coup. Le bébé n'est pas seulement celui d'Isabel. Il fait partie d'une chaîne de similitudes.

« Ça m'étonne toujours cette façon qu'ont les gens de trouver des ressemblances aux bébés, rétorque Richard.

— Puisqu'ils les cherchent... »

Il fronce les sourcils, impatient. C'est avec Isabel qu'il a envie d'être, pas ici. Il attend le moment où il entendra la voiture de l'infirmière descendre le chemin et où il pourra voir Isabel en tête à tête.

« Je meurs de faim, lance-t-il. La nourriture dans l'avion était infecte.

— Il y a de la tourte aux groseilles dans le frigo.

— Tu ne pourrais pas aller m'en chercher, s'il te plaît, Nina ? Je ne tiens pas à me retrouver nez à nez avec cette bonne femme.

— Eh bien..., dis-je en tendant la main vers le carnet que je n'ai pas envie de laisser à côté de lui, d'accord. »

Il sourit et ses yeux se plissent. Richard a quarante-six ans, il est plus âgé, plus lourd, plus massif que nous. « Super », s'exclame-t-il. Je me lève et sors de l'ombre pour entrer dans la lumière éclatante du soleil, puis je longe une des petites allées d'Isabel. Elle a planté des haies basses de buis afin de contenir l'abondante verdure qui croît entre les arbres, sur les treillis, le long des murs et autour des portes. J'aime ce vert sombre et soutenu. J'aime la façon dont ces haies soulignent la sensation de trop-plein. C'est bien à l'image d'Isabel, elle qui est suffisamment belle pour chausser des lunettes de vue que la plupart des femmes délaisseraient.

La tourte est sous une assiette. Depuis le déjeuner, Edward en a grappillé les fruits, qu'il préfère à la croûte. Je trace une ligne droite le long de la partie abîmée puis je coupe une grosse portion bien épaisse pour Richard. Il y a de la crème jaune et onctueuse dans un pot. C'est la mère de Susan qui nous a fait cette tourte. Elle a mis un peu de fleur de sureau pour faire ressortir le goût des groseilles et a dessiné des feuilles sur le dessus. Maintenant que la tourte a refroidi, l'intérieur de la croûte est blanc et gluant ; et la cuisson a tellement aminci la peau des groseilles que l'on voit les grains au travers. J'en prends une, fragile mais toujours entière, et je la mange. J'ai faim moi aussi. Je me coupe une autre part de tourte et je verse de la crème sur les deux. Puis je prends deux cuillères et saupoudre la crème de sucre. J'entends des voix mais le bébé a cessé de pleurer. Une porte s'ouvre et les voix s'amplifient. Ces dames doivent être sur le point de partir. Je prends les assiettes et me dépêche de sortir dans la lumière, tourne le coin de la maison côté étang pour aller dans le jardin.

Richard n'a pas bougé, il a juste enlevé ses chaussures et ses chaussettes. Il est étendu, les yeux fermés et les pieds au soleil. Ils sont pâles, ils ont l'air nu, ce sont des pieds de citadin.

« Et voilà. »

Nous attaquons la croûte, les fruits, et la crème qui commence à se liquéfier sur les bords. J'ai toujours aimé manger en compagnie de Richard parce que c'est un glouton, comme moi. Ça se voit. Il garde la groseille la plus grosse pour la fin et la plonge dans un océan de crème. Le sucre crisse agréablement sur mes dents.

« J'aurais dû apporter le reste, dis-je. Sans quoi Edward va le manger. »

Des guêpes se sont déjà posées sur les assiettes vides. « Je ferais mieux d'y aller, lance Richard en ramassant ses chaussures et en les soupesant.

— Je n'ai pas entendu la voiture.

— Non ? Moi oui. Tu étais absorbée par la tourte.

— Je vous rejoindrai plus tard. » Le chou a légèrement changé, un peu flétri par la chaleur de l'après-midi.

« Si elle se mettait à la fenêtre et moi dans l'allée, tout près de ces œillets de poète, je pourrais la voir, dit Richard. Elle regarde souvent le jardin de là-haut.

— Elle n'est pas sortie. Il fait trop chaud pour le bébé.

— Il faudra bien qu'il s'y habitue, dit Richard. Isabel passe sa vie dans ce jardin. »

Mais elle n'y est pas descendue depuis mon arrivée. Edward n'aime pas le soleil, lui non plus, et leurs longues conversations ont lieu à l'intérieur, dans la chambre d'Isabel, ou alors dans le salon étouffant et sombre du rez-de-chaussée. Jusqu'à cet été, je n'aurais pu imaginer le jardin sans Isabel. Elle le connaissait, l'avait planté et s'y activait toujours dans un coin ou un autre à moins qu'elle n'y eût laissé un déplantoir, une corbeille de boutures ou encore une pelote de ficelle pour montrer qu'elle allait bientôt revenir. Pourtant, le jardin continue sans elle, bien que je sache que c'est une illusion. Il pourrira de l'intérieur, comme des poires restées trop longtemps dans un compotier.

Mais pour l'instant il est parfait, et cet après-midi il m'appartient autant qu'à quiconque. Je m'enfonce encore un peu plus dans l'ombre du figuier. Je pense qu'ensuite je dessinerai une figue, sa protubérance nue accrochée à sa branche argentée. Autour de moi, tout semble avoir poussé tout seul, s'enflammant dans de multiples couleurs ou alors se fanant, comme ces pieds-d'alouette qui ne sont plus que les ombres délavées d'eux-mêmes. Il m'est plus facile de dessiner quand je ne vois pas partout, dans la terre ou parmi les feuilles, les longues mains d'Isabel qui écartent des massifs de fleurs, coupent, entaillent, greffent et arrachent.

6

« Vous ne vous ressemblez pas beaucoup, a constaté Susan hier, je n'aurais jamais deviné que vous étiez sœurs. »

Elle tenait le bébé dans les bras. Il avait pleuré la moitié de la nuit et avait été grognon toute la journée ; Isabel était épuisée. D'après Susan, l'endroit où l'on avait enlevé le drain cicatrisait mal. Elle appellerait le médecin plus tard. Isabel se reposait, avec Richard assis à côté d'elle dans le grand fauteuil, le nez dans des papiers. Pour le dîner, j'avais préparé un poulet à manger froid et ramassé des pommes de terre nouvelles. Blanches comme des œufs à leur sortie de terre, elles étaient devenues marron une fois épluchées. Plus tard, juste avant qu'on ne passe à table, j'irais cueillir de la laitue.

« J'aime bien votre short, m'a dit Susan. C'est chouette que tout le monde en porte maintenant. »

J'ai baissé les yeux sur mes jambes et j'ai ri. Elles étaient loin d'être parfaites mais je les aimais bien.

« Elle est belle, hein ? a demandé Susan en me regardant fixement comme si elle ne connaissait pas vraiment la réponse.

— Oui, elle est belle, ai-je répondu, et Susan a soupiré.

— Qu'importe, nous ne sommes pas toutes obligées de lui ressembler. »

Elle m'a adressé un large sourire. Pour la première fois on s'aimait presque bien. « J'ai pas de sœur, a-t-elle expliqué, juste des frères. Des gros lourdauds qui passent leur temps à jouer au cricket. Tout le monde est fou de cricket par ici.

— Nous, on n'était que toutes les deux.

— Oui, mais c'était vous l'artiste, non ? a-t-elle ajouté en suivant le fil de ses pensées centrées sur la beauté d'Isabel.

— Je fais des photos et je dessine, mais je ne me prends pas pour une artiste, non.

— Vos dessins sont adorables. J'ai toujours eu envie de savoir dessiner. » Je l'ai alors imaginée, fillette pantelante, penchée sur l'épaule d'une autre écolière. « Ooh, ton dessin est génial ! Le mien est nul. » Mais je n'avais pas envie d'offrir à Susan les démentis qu'elle attendait. J'ai vaguement souri et j'ai essuyé sur mon short mes mains pleines de terre.

Je n'arrête pas de penser à Isabel. Cette longue cohabitation a des effets bizarres : au lieu de moins penser à elle j'y pense davantage. Je réfléchis au fait que nous sommes sœurs. Elle me ressemble, beaucoup plus qu'au dire de Susan, et en même temps elle ne me ressemble pas. Tous ces gènes lancés en l'air de manière aussi hasardeuse que des dés sont retombés fort différemment dans les deux cas. Avant, je pensais qu'Isabel avait hérité de tous les « six ». Maintenant je n'en suis plus si sûre. Elle a trois ans de plus que moi, la famille dans laquelle elle a grandi n'était donc pas vraiment la même que celle que j'ai connue. Elle se rappelle — ou prétend se rappeler — l'époque précédant ma naissance, lorsqu'elle marchait entre nos parents en leur tenant chacun la main, faisant le lien entre eux. Dès qu'elle leur parlait de cette époque devant moi, j'avais l'impression de disparaître. Et ma non-existence leur était aussi tangible que ma présence. Isabel se souvient de notre mère enceinte. Elle, c'était la grande, la raisonnable, tandis que moi, j'étais le bambin qui criait et mordait. Des années durant j'ai accepté la liste de ce que je lui avais fait subir, sans même oser imaginer qu'il pût exister d'autres listes, d'autres choses qu'on m'avait faites. Aux grandes personnes elle racontait ses histoires avec un air patient et adulte.

« Nina a coupé les cils de Rosina. Elle croyait que ça repousserait. Elle se rend pas compte que Rosina n'est qu'une poupée. »

Mais elle ne dit pas comment, chaque fois que c'était mon tour d'avoir le landau, elle enlevait calmement mais fermement ma poupée pour y déposer la sienne.

« Enfin, Nina, tu vois bien que Mandy est trop grande. Regarde, ses jambes dépassent. Rosina a été achetée avec le landau, donc il est à elle. Mais je te laisserai la pousser. »

Et nous voilà parties, poussant le landau de nos poupées dans le cimetière Barnoon, d'un bout à l'autre des petites allées, pour visiter nos tombes préférées. En contrebas, la mer brillait, les vacanciers se jetaient dans les vagues mais nous ne faisions pas attention à eux. Nos parents nous laissaient aller où bon nous semblait. Parfois aussi loin que le bassin Wicca, où nous nagions avec les phoques. Un jour nous avions vu un couple en voyage de noces s'y baigner nu et les toisons de leurs poils pubiens se toucher.

« Ils vont s'allonger sur les galets et après ils vont se câliner », avait prédit Isabel d'un ton avisé. Et c'est ce qu'ils avaient fait. Elle était tellement sûre de tout que je croyais parfois que les événements découlaient de sa seule certitude. Sans ses prédictions, j'aurais été perdue dans un monde où tout et n'importe quoi pouvait survenir. Elle savait même à quel moment j'allais me mettre à pleurer.

Un jour j'avais glissé alors que nous remontions en

courant le sentier de la falaise. On avait ramassé des mûres et je les regardais tressauter dans le seau que je serrais devant moi au lieu de regarder le chemin. Mon pied a buté contre un caillou et je suis tombée sur le côté, mais pas en sécurité sur le sentier ; non, j'ai glissé à une vitesse folle et sans entrave vers le bord de la falaise. Je me suis sentie partir et j'ai entendu Isabel crier puis j'ai basculé. Il s'agissait d'une pente rocailleuse, pas au bord même de la falaise, qui était encore à cinq mètres de là. J'ai continué sur trois mètres en me cognant partout, avant de m'arrêter. Je me suis mise à crier, étendue sur le dos, les yeux tournés vers le ciel. Une seconde plus tard une demi-lune inversée et terrifiée fendait le ciel. Il m'a fallu un moment pour me rendre compte que c'était le visage d'Isabel. La minute d'après, elle était près de moi et me tirait en arrière des deux mains sur les mûres éparpillées. Une fois sur le sentier je me suis assise, toute tremblante. Mes jambes étaient tachées de sang et du jus des mûres. Il y avait une longue éraflure brûlante à l'intérieur de mes bras.

« J'ai perdu mon seau, ai-je pleurniché.

— Je vais regarder. » Isabel s'est levée et a jeté un coup d'œil en bas. « Je ne le vois nulle part. Il a dû passer de l'autre côté. »

J'ai pensé à mon nouveau seau, argenté à l'intérieur, rebondissant sur les pierres dans un bruit métallique, et je me suis mise à pleurer. Puis Isabel s'est mise à pleurer elle aussi, plus fort que moi, en tremblant et en se cachant le visage dans les mains. Elle pleurait rarement, et c'était pire que d'avoir perdu le seau. Je lui ai tapoté l'épaule mais elle n'a pas semblé s'en rendre compte. « Allez, Isabel. Je suis pas passée par-dessus bord. Je vais bien. » Mais elle a pleuré de plus belle et j'ai abandonné. J'ai décidé de ramasser plutôt les mûres tombées et de les manger. Je les ai soigneusement essuyées et les ai glissées une par une dans ma bouche. Elles étaient délicieuses.

Soudain, je me suis retrouvée face à Isabel. A quatre pattes devant moi, l'air furieux, elle était toute barbouillée de larmes mais de nouveau elle-même.

« Et t'as pas intérêt à aller leur raconter, Nina. Ou je dirai que je t'avais ordonné de t'arrêter et que t'as continué à courir quand même. »

Je me demande ce qu'Isabel voit quand elle regarde en direction du passé. Nous ne sommes pas le genre de sœurs à parler de notre enfance. Si c'était le cas, nous risquerions de découvrir que nous n'avons pas tant de souvenirs communs que ça. Antony, lui, n'aura ni frère ni sœur. Personne à couvrir, personne à trahir. Isabel n'a pas évoqué le sujet. Elle m'a montré la cicatrice mais elle n'a pas parlé des conséquences de l'hystérectomie. Maintenant qu'il n'y a plus de layette à broder elle passe des heures à faire un paysage au point de croix pendant qu'Edward lui parle. Je vois bien qu'il adore ça : la tête penchée d'Isabel, la maternité dont il peut profiter quand le bébé n'est pas là, l'aiguille qui étincelle en entrant et sortant du tissu, Isabel qui travaille vite et écoute attentivement, en levant de temps à autre les yeux vers lui et en le laissant parler tout son soûl. Il arrive aussi qu'aucun d'eux ne parle. Je n'aime pas entrer dans la chambre au milieu d'un de leurs silences.

Richard pénètre dans la cuisine alors que je suis en train de désosser le poulet.

« Comment va Isabel ?

— Elle essaie de dormir. Elle dit qu'elle n'arrive pas à se reposer quand je suis là. »

Il remplit la bouilloire électrique et la branche. « Je vais faire venir le médecin. Elle devrait se sentir mieux que ça maintenant. »

Je m'attends qu'il ressorte directement avec le café mais il s'assied sur l'une des chaises à haut dossier.

« Je peux t'aider ?

— Tu pourrais couper ces oignons pour la salade.

— Qu'est-ce que tu prépares ?

— Un risotto au poulet, pour Isabel. Ça lui fera peut-être plaisir de manger chaud, on a avalé tellement de salades.

— Tu es bonne cuisinière, non ?

— C'est pas très étonnant.

— Pourquoi ?

— Les gourmands font les meilleurs cuisiniers. »

Il sourit. « Tu as dessiné aujourd'hui ?

— Oui, je suis sortie ce matin, dis-je rapidement, comme quelqu'un qui cache une envie secrète. J'ai aussi pris plusieurs photos chez les Wilkinson. Mais c'est pas mon truc. Je ne m'y connais pas assez en agriculture. C'est juste des instantanés. Par contre Susan est intéressante. J'aimerais faire quelques photos d'elle pendant qu'elle s'occupe du bébé.

— Je ne l'ai pas vraiment observée », constate Richard. Je souris et coupe le blanc du poulet en cubes avec un des couteaux pointus d'Isabel.

« D'ici quelques années, Susan sera une sacrée bonne femme, dis-je.

— Tu ne pourrais pas faire des photos d'Isabel plutôt ? Je sais qu'elle en meurt d'envie.

— Oh, j'en ferai. Rien ne presse.

— Tout de même, je trouve que c'est une perte de temps de photographier Susan. Ce serait différent si elle devait continuer à travailler ici. Le bébé ne la reverra plus une fois qu'elle sera partie.

— Je m'intéresse à ce qui se passe maintenant. C'est ça que je dessine ou que je photographie. Quand je regarde un chou je ne me dis pas que ça ne vaut pas la peine de le dessiner parce qu'on l'aura mangé demain. »

Richard se tait. Puis, sur un ton plutôt irrité, il

lance : « Je me fiche pas mal de ce que tu fais. Je pensais simplement à Isabel.

— Je sais. »

Levant la tête du bol plein de poulet moelleux finement coupé, je le regarde droit dans les yeux.

« Je suis ici parce que tu m'as demandé de venir mais je ne suis pas un objet appartenant à Isabel.

— Ça ne m'a jamais traversé l'esprit », répondit-il en soutenant mon regard.

Je me lève et me dirige vers l'un des placards derrière moi. J'y prends de l'huile d'olive, du riz sauvage, un petit paquet de safran et des pignons.

« Tu as fait des courses à ce que je vois.

— Oui, j'ai pris ta voiture pour aller à Lewes ce matin. Tu te souviens, je t'avais demandé si je pouvais.

— Bien sûr que tu peux. C'est bête que je sois le seul à l'utiliser. Mais tu as acheté beaucoup de trucs, là, je te dois combien ?

— Je loge chez vous et j'y prends tous mes repas. De toute façon, pour le moment j'ai plein d'argent.

— Ah ? Les affaires sont si bonnes que ça ?

— J'ai augmenté mes tarifs. Ça roule. »

C'est vrai. Je croule sous les boulots dont je ne veux pas. Du documentaire, un peu banal. Un jour en sortant d'un taxi je me suis aperçue que j'avais laissé mon appareil photo, dans sa sacoche, à l'intérieur. Je n'aurais pas eu les moyens de m'en offrir un nouveau. Et pourtant j'ai dû me retenir pour ne pas payer la course, tourner les talons et disparaître dans la foule anonyme.

« Ça marche bien », dis-je. Je lui parle debout, les yeux baissés vers lui, en versant un mince filet d'huile dans la plus lourde des casseroles d'Isabel.

« C'est important de ne pas être trop bon marché. C'est là-dessus qu'on te juge, dit-il.

— Ne t'inquiète pas pour moi, j'attache bien trop d'importance à l'argent.

— Moi aussi. Mais bon, je ne suis pas un artiste.

— Les artistes ne sont pas forcément des idiots. Ma mère ne l'était pas. Elle était même très douée pour les questions d'argent.

— Je veux qu'Isabel reparle à Wilkinson de l'achat de cette maison. Je pourrais lui faire une offre qu'il aura du mal à refuser. Mais elle n'est pas d'accord.

— Parce que alors ce serait *ta* maison.

— Elle serait à nos deux noms.

— Oui. Mais pour le moment le bail est au sien.

— Elle n'aime pas parler de ça, elle dit que je connaissais la situation quand on s'est mariés, ce qui est vrai. Mais les choses ne sont pas figées une fois pour toutes, elles peuvent changer. »

C'est la première fois que j'entends Richard émettre une critique, même vague, concernant Isabel. Il a remarqué ce que je croyais être seule à avoir senti : Isabel n'aime pas le changement. Elle en a peur. C'est vrai qu'elle a suivi le chemin qu'elle s'était tracé, et qu'une fois tracé elle s'en écarte rarement. Tout à coup, j'éprouve pour Isabel une immense vague de tendresse, sans savoir d'où elle vient.

7

Entre le jardin d'Isabel et les Downs, il y a les prés inondables. La rivière les traverse. Elle a été enveloppée toute la journée par la brume de chaleur qui cache les collines. Il a fait suffisamment chaud pour qu'apparaissent des mirages, des ruisseaux qui ondulent à l'envers dans les airs. Isabel prétend que c'est pour la rivière qu'elle est venue ici. Elle longeait le cours d'eau quand elle a vu la maison l'observer, de ses fenêtres vides. Elle a grimpé sur le mur, s'est accrochée aux branches d'un prunier, puis s'est laissée tomber dans le jardin chaud et tranquille où elle s'est retrouvée seule. Il était vide depuis tellement longtemps que même les oiseaux n'ont pas eu peur d'elle. Tout était feutré de liserons et de ronces qu'il lui faudrait deux ans pour éclaircir avant de pouvoir planter.

Certains hivers, la rivière inonde les prés, mais pour l'instant elle coule doucement, encaissée entre ses rives. L'eau est tellement calcaire qu'au soleil elle devient d'un vert pâle et opaque. Isabel dit qu'elle est truffée de produits chimiques en provenance du sol, et que les enfants ne peuvent plus s'y baigner comme autrefois.

Il est 1 heure du matin ; je suis allongée dans l'obscurité, les rideaux sont grands ouverts et l'air chaud caresse ma peau. Je n'arrive pas à dormir, à cause de la chaleur et d'une mélancolie familière qui n'a rien à voir avec le fait que je sois loin de mon appartement londonien. Je pense à la mer, et au bruit des vagues. Lorsque j'ai emménagé en ville pour la première fois, il m'a fallu un moment pour comprendre ce que je guettais constamment. A Londres, quand je suis à moitié endormie, je confonds la circulation au loin sur le périphérique avec le grondement d'une mer hivernale. Ce soir, j'aimerais parvenir à entendre la rivière mais elle glisse en silence à travers prés, cachée. Son courant est fort et souterrain.

« Neen. Neen.

— Entre. »

Je remonte les draps sur moi et me redresse. Isabel ouvre la porte d'un coup.

« Allume. »

Elle traverse la pièce et s'approche de la petite lampe près du lit.

« Je ne t'ai pas réveillée, si ?

— Non. J'essayais d'entendre la rivière.

— On ne peut pas.

— Je sais. »

Isabel va à la fenêtre et regarde au-dehors. « D'ici, on ne la voit même pas, dit-elle. Tu te souviens comment on sortait la nuit, en cachette ?

— Oui.

— Tu avais peur du bruit effrayant de la mer dans l'obscurité. » Elle bâille, tire ses cheveux en arrière et frotte les traces de fatigue sous ses yeux.

« Tu ferais mieux de dormir, lui dis-je.

— Il va se réveiller dans moins d'une heure. Ça ne vaut pas la peine.

— Tu devrais laisser Susan lui donner un biberon la nuit, comme ça tu dormirais un peu. C'est elle qui l'a proposé.

— Tu parles. Elle ne donnera rien du tout. » Isabel a un grand sourire. « Attends un peu qu'elle ait un bébé à elle. »

Elle revient et s'assoit sur mon lit. « Neen, tu sais que tu pourrais le nourrir ? Tu savais ça ? Les femmes qui n'ont jamais eu d'enfants peuvent donner le sein à condition de laisser le bébé téter suffisamment longtemps. Quand elles adoptent un bébé, certaines femmes se collent des petites poches contenant du lait, avec un tube dirigé vers le mamelon pour que le bébé tète jusqu'à ce que le vrai lait monte. » Elle me regarde, souriante, et des fils de lumière brillent dans ses cheveux.

« Ce n'est pas mon bébé.

— Ne te fâche pas. Je disais ça comme ça. »

Le bébé est un tout : c'est par lui que tout commence et tout y revient en cercle fermé ; le reste du monde — moi, Richard, Susan — n'est plus qu'ombres à l'extérieur de ce même cercle. Je me demande comment Richard vit ça.

« Tu trouves que je le fais systématiquement passer en premier, non ? me demande Isabel.

— C'est naturel, voyons. » Mon ton est détaché et léger, du moins je l'espère. Mais j'ai l'impression qu'Isabel vient de retirer brutalement sa main de la mienne.

« C'est trop drôle, continue-t-elle. Je vais te confier quelque chose, Neen. Quand ça a commencé, que je me suis mise à saigner, que j'ai regardé le visage de la sage-femme puis que j'ai vu Richard se précipiter vers le téléphone, ma seule pensée a été : "Faites, mon Dieu, faites que je ne meure pas." Ce n'est pas au bébé que j'ai pensé à ce moment-là mais à moi. Parce que j'ai bien cru que j'allais y laisser ma peau.

— Il s'en est fallu de peu.

— Je sais. » Elle tire sur le bord effiloché du couvre-lit, puis tout à coup elle me demande : « Tu penses souvent à la mort, Neen ?

— Parfois.

— Richard dit qu'il n'y pense jamais.

— Il ment sûrement.

— C'est fou comme les gens sont différents les uns des autres, tu ne trouves pas ? C'est même effrayant. »

Elle me regarde avec insistance mais j'ai pourtant l'impression qu'elle se tient encore en retrait. Puis elle me demande subitement : « Il te parle, Richard ? »

Je me sens rougir sans raison mais je n'ai pas de mal à lui répondre : « Pas des masses. Tu sais bien qu'il ne m'adresse jamais beaucoup la parole.

— Effectivement. » Je ne parviens pas à voir si son visage se détend légèrement ou non. « Peut-être que ça s'améliorera pendant ton séjour. Tu es ma sœur après tout. S'il ne peut pas te parler à toi, à qui d'autre alors ? Et puis ça lui ferait du bien. »

Tout à coup, je me souviens d'un incident qu'Isabel a sûrement dû oublier, un pique-nique, quand j'avais seize ans. C'était par un après-midi frais et venté, et nous étions allées marcher au-dessus de la voie de chemin de fer en direction de Carbis Bay. Michael, l'ami londonien d'Isabel, nous accompagnait. J'avais entrepris de croquer deux bateaux de pêche ballottés à l'extrémité du cap. Je tournais le dos à Michael et à Isabel, et je les avais presque oubliés lorsqu'elle m'a demandé d'une voix aiguë et insistante : « Tu pourrais le dessiner, hein, Neen ? Tu pourrais dessiner Michael ? »

Je n'en avais pas envie. Je ne voulais pas m'interrompre. Mais ils étaient plus âgés, ils attendaient quelque chose de moi, et ce n'était pas si souvent que je me sentais en mesure de pouvoir satisfaire un désir d'Isabel. Je me suis donc mise à faire son portrait, assis contre une borne en pierre. Mince, l'air un peu absent, Michael avait cette beauté qui plaisait alors à Isabel. Le vent tourmentait ses cheveux autant que mon papier, mais il était facile à dessiner et je savais que ça rendrait bien. A un moment, il s'est levé pour voir où j'en étais et après il s'est beaucoup plus intéressé à moi, il m'a parlé, m'a questionnée sur mon dessin et sur mes projets une fois que j'aurais quitté la maison. Maintenant que son visage attentif était entièrement tourné vers moi, ce qui était flatteur, je comprenais pourquoi Isabel l'aimait bien. Le croquis avançait de mieux en mieux. Nous parlions de lui à présent, du film qu'il voulait tourner, et du célèbre acteur qui avait plus ou moins promis de jouer dedans. Isabel était partie se promener quelque part. A son retour le soleil luisait sur l'endroit abrité où je crayonnais, et j'avais pratiquement terminé. Michael l'a appelée : « Viens un peu voir ça ! Tu aurais dû me dire qu'elle était aussi douée. » Isabel s'est penchée en souriant et a jeté un œil sur ce que j'avais fait. Puis elle a lancé à Michael un long regard circonspect.

Le lendemain, il rentrait chez lui, trois jours plus tôt que prévu. Je croyais qu'il avait emporté le dessin, puisqu'il me l'avait demandé, mais non. Je l'ai retrouvé froissé sur le dessus de la poubelle de la cuisine où il avait dû le jeter.

« Tu vas rester, hein ? m'interroge Isabel. On dirait un écho, comme si elle avait déjà posé la question.

— Je t'ai dit que je resterais aussi longtemps qu'il le faudrait. Mais tu es déjà bien entourée, avec Susan, Richard et Edward. Je ne fais pas grand-chose, à part la cuisine. Tu n'as pas vraiment besoin de moi ici. »

Isabel fronce les sourcils. Ses lourdes paupières en demi-lune tombent sur ses yeux alors qu'elle regarde vers le bas. Ses longs doigts jouent avec les draps. Ils sont minces, et ses poignets sont fins et osseux. Seuls ses seins sont lourds. « Détrompe-toi, j'ai besoin de toi », lance-t-elle sans me regarder.

8

J'ai dit à Susan qu'on n'était que deux, Isabel et moi, c'est toujours ce que je dis. Mais en fait on était trois.

J'avais quatre ans quand mon frère est né. Tout comme Isabel au moment de ma naissance, j'étais assez grande pour remarquer la grossesse de ma mère. Elle m'avait paru interminable. Pendant des années, m'avait-il semblé, elle avait porté devant elle une grosse bosse, blanche et tendue lorsqu'elle était nue. Son nombril ressortait, comme le pied d'un champignon. Lorsque je l'avais touché elle avait sursauté puis m'avait repoussée. Chaque après-midi, elle fermait à clé la porte de l'atelier et montait s'allonger dans sa chambre. Nous n'avions alors pas le droit de faire du bruit ou de l'approcher, à moins que l'une de nous ne se soit fait mal. C'était une grossesse tardive : ma mère avait quarante-trois ans et ne s'attendait pas à avoir un autre enfant. Je ne sais si elle l'avait désiré ou non, à ce moment-là, parce que tout est faussé ensuite par la présence bien réelle de cet enfant.

Je n'en voulais pas, moi. C'était ma mère, la mienne et celle d'Isabel. Pourquoi avait-elle choisi d'aggraver les choses ainsi ? Il n'y avait déjà pas assez d'argent pour deux enfants, à plus forte raison pour un bébé. C'est pour ça que notre père se faisait de plus en plus rare. Je le savais parce que Isabel les écoutait parler et qu'elle me racontait.

« Ça fait quoi d'avoir un bébé ? » lui avais-je demandé, et elle avait plissé le nez en se souvenant. « C'est bruyant », avait-elle fini par dire. Nous étions toutes deux nées à la maison mais cette fois-ci ma mère irait à l'hôpital parce qu'elle était plus âgée. Au fur et à mesure qu'il grossissait son ventre se couvrait de vergetures rouges et violettes. Je n'ai pas beaucoup de souvenirs de mon père à cette époque.

Le jour de l'accouchement, il faisait beau et chaud. On avait donné à Isabel un pique-nique, un billet de une livre, deux boîtes de bonbons acidulés, et on lui avait demandé de m'emmener à la plage pour la journée. On s'était baladées au-delà de la plage des surfeurs, en direction d'une petite baie de sable blanc qu'on connaissait bien, où l'on pouvait planter notre bouteille de limonade dans le sable frais et nous fabriquer une maison en drapant des algues sur les pierres noires.

« En ce moment, elle doit être en train de pousser », a annoncé Isabel qui savait tout sur les bébés. J'ai hoché la tête en jetant sur mon épaule le sac en toile du pique-nique pendant qu'elle secouait sa sandale pour en faire sortir un caillou. Je me fichais pas mal du bébé, ce jour-là, parce que pour la première fois Isabel allait me laisser pêcher depuis les rochers avec sa canne à pêche.

Elle m'a tenue serrée par la taille tandis que les vagues émettaient des bruits de succion au-dessous de nous. Ici l'eau était profonde, et dangereuse. En cas de chute, nous savions que nous serions écrasées contre les rochers. Nous nous étions avancées, beaucoup trop d'ailleurs. Mon visage était poisseux à cause des embruns, et chaque fois que j'ouvrais la bouche je sentais le goût du sel. Les vagues étaient sur le point de déferler sur nos pieds. Les mains d'Isabel me tenaient fermement tandis que je me penchais en avant pour lancer la ligne loin des rochers. Puis nous nous sommes rassises dans notre niche en pierre en attendant que ça morde. A une centaine de mètres de là, sur des rochers qui n'étaient pas menacés par la marée, un homme a agité les bras dans notre direction. Sa bouche s'est ouverte puis refermée mais nous ne pouvions rien entendre, à cause du bruit des vagues.

« Quel crétin, a lancé Isabel. Bon, on ferait peut-être mieux de retourner voir si elle a eu le bébé ou non. »

Je ne me souviens pas du retour, seulement de mon père nous annonçant que c'était un garçon, le visage soudain détendu par le bonheur. Il n'arrêtait pas de répéter ça, et nous nous sommes regardées, Isabel et moi, un regard rapide et furtif. Isabel a dit : « Oh, un garçon. C'est pas grave, Neen », puis elle s'est agenouillée pour me prendre dans ses bras, articulant par-dessus ma tête à l'intention de notre père : « Neen voulait une fille. » Je n'avais rien voulu du tout mais je cachais mon visage dans la chemise d'Isabel parce que c'était agréable de la sentir me tenir contre elle. Au bout d'un moment, mon père a annoncé qu'il allait à l'hôpital, et il est parti.

Ils ont appelé le bébé Colin. J'ai beaucoup pensé à lui le premier jour puis je l'ai oublié. Ma mère est restée à l'hôpital une dizaine de jours et c'était surtout à ça que je pensais. Isabel me mettait au lit tous les soirs pendant que mon père se rendait là-bas. Il devait y avoir d'autres adultes, amis et voisins, autour de nous mais je me souviens seulement d'Isabel assise sur la commode à linge près de la baignoire, pressant la bouteille de shampooing au-dessus de mes cheveux qu'elle frottait ensuite.

Quand ma mère est revenue, elle avait Colin avec elle. Il semblait collé à elle en permanence, chaque fois que j'avais envie de grimper sur ses genoux il était là. Elle lui donnait le biberon parce qu'elle voulait retourner travailler dans son atelier le plus vite possible ; une jeune fille devait venir s'occuper de lui dans la journée. Il n'arrêtait pas de boire et de crier. Une fois, elle avait renversé l'eau chaude dans laquelle se trouvait le biberon, l'eau avait coulé sur ses pieds et il avait crié de plus belle. Quand elle avait fini de le nourrir elle le soulevait dans les airs puis plaçait son visage tout contre le sien. Elle fermait alors les yeux et lui chuchotait des choses que je ne parvenais pas à entendre.

Elle est restée longtemps fatiguée, pas en forme. Je me souviens de m'être glissée très doucement dans la chambre et de m'être allongée à côté d'elle sur le lit pendant qu'elle dormait. Elle avait ouvert les yeux, m'avait vue et avait souri. Puis Colin avait crié.

« Tu devrais le taper, comme ça il ferait pas autant de bruit », lui avais je suggéré. Elle était sortie péniblement du lit et était partie lui faire chauffer son lait.

Colin avait trois mois. Un jour, j'ai entendu mes parents parler d'Isabel. « C'est bizarre qu'elle ne s'occupe pas de lui alors qu'elle est merveilleuse avec Neen. »

Isabel n'avait jamais demandé à tenir Colin. Parfois notre mère disait : « Tiens, tu ne veux pas le prendre ? » et Isabel le laissait avachi sur ses genoux jusqu'à ce qu'on le lui enlève. Après ça elle m'y hissait et me racontait des histoires parce qu'elle savait lire, et moi pas. Je m'appuyais contre elle et lui parlais en langage bébé, celui que nous utilisions pour nos poupées. Nous nous occupions plus que jamais de Rosina et Mandy que nous bercions, calmions, habillions et déshabillions tour à tour. Si Colin était dans la pièce nous ne lui lancions même pas un regard.

Un soir, après être parties nous coucher, nous avons joué au bébé. Isabel avait pris le drap et m'avait allongée au milieu, puis elle l'avait enroulé serré autour de moi, comme un nid d'ange. Au début, ça m'avait plu et j'étais restée étendue là à sucer mon pouce et à lui sourire en parlant comme un bébé. Ensuite, c'est devenu ennuyeux. J'ai commencé à me débattre pour enlever le drap. Et je me suis retrouvée à quatre pattes, puis debout, dans le creux profond au milieu du lit.

« Vilain bébé ! » a crié Isabel en riant et en me chatouillant. Je me suis mise à sauter, à rebondir sur le matelas jusqu'à ce que les ressorts couinent. Je sautais, sautais et criais comme une possédée à chaque bond. Isabel aussi s'est mise à sauter. Elle me faisait rebondir deux fois, une fois toute seule et une fois avec elle, tandis que ses longs cheveux tournoyaient autour de nous. Tout à coup, la porte s'est ouverte. Ma mère est apparue au pied du lit sans qu'on l'ait entendue arriver. Elle a attrapé mon bras et celui d'Isabel.

« Taisez-vous, a-t-elle crié. Taisez-vous, bon sang ! MAIS TAISEZ-VOUS DONC ! Vous l'avez réveillé alors que je venais juste de l'endormir. »

Son visage blanc et tendu étincelait de colère. On l'aurait crue prête à nous tuer. Je me suis recroquevillée contre Isabel. Puis ma mère a tourné les talons brusquement et elle est sortie de la chambre. Je pense qu'elle a eu peur de se mettre à nous taper puis de ne plus pouvoir s'arrêter. Nous sommes restées là, silencieuses, à écouter le hurlement de Colin, un son ténu qui montait. Les joues d'Isabel étaient encore rouges d'avoir tant sauté. Je me suis mise à pleurer.

« Chut, Neen ! a-t-elle dit. Ne fais pas de bruit sinon elle va revenir. »

Elle a pris le drap et m'a enroulée à nouveau dedans. Cette fois-ci j'étais couchée, passive, les yeux levés vers elle pendant qu'elle me tapotait pour que je m'endorme, comme nous le faisions avec nos poupées.

Lorsque je me suis réveillée c'était le matin. A travers les rideaux à moitié ouverts, une lumière vive tombait sur le lino où Isabel lisait un livre, assise en tailleur. Je me suis libérée du drap en gigotant et j'ai roulé sur le côté. La maison était silencieuse et tranquille, baignée de soleil. Isabel a levé les yeux vers moi, a corné le coin de sa page et m'a souri.

On a dû jouer pendant une heure et quelques. Pas à la poupée cette fois-ci. J'ai fait des dessins et Isabel a raconté des histoires qui allaient avec. Il devait être très tôt malgré le soleil parce qu'il n'y avait pas un bruit dans la maison, et que le bébé ne pleurait pas. Tout à coup, Isabel a dit : « Je vais voir Colin. » Je l'ai regardée fixement, l'air surpris, parce que ni l'une ni l'autre n'allions le voir le matin. Quand bien même nous l'aurions voulu, nous savions qu'il ne fallait pas le réveiller. Je me souviens que j'avais un crayon de couleur violet dans la main. Isabel a ouvert la porte, elle est sortie et je me suis remise à dessiner. Mais elle est revenue tout de suite. Elle s'est agenouillée en face de moi, elle a approché son visage du mien et elle m'a annoncé : « Je crois que Colin ne va pas très bien. Tu ferais mieux de venir voir, Neen. »

Elle m'a pris la main et m'a emmenée sur le palier. Colin dormait dans la petite chambre au-dessus de l'escalier et sa porte était ouverte. Isabel m'a poussée devant elle et j'ai regardé à travers les barreaux du berceau. Mais il n'y avait pas de Colin. A sa place il y avait une drôle de chose. J'ai passé le bras entre les barreaux et j'ai senti : c'était dur et froid, comme mon crayon. J'ai regardé Isabel. « Où est passé notre bébé ? »

Elle a tendu le doigt vers le berceau. « C'est bien lui. Mais il a pris une drôle de couleur.

— Oh », ai-je fait. J'ai regardé une nouvelle fois et j'ai vu qu'elle avait raison.

« On ferait mieux d'aller s'habiller », a suggéré Isabel, et nous sommes sorties en refermant doucement la porte derrière nous avant de retourner dans notre chambre. Nous n'avons pas fait beaucoup de bruit, mais quelque chose a dû réveiller notre mère parce que nous l'avons entendue ensuite se traîner vers la salle de bains. Après avoir tiré la chasse, elle s'est dirigée vers la chambre de Colin et une seconde plus tard nous l'avons entendue crier.

C'était mon frère, victime de la mort subite du nourrisson à trois mois. Je me demande tout à coup si Richard est au courant.

9

Alex est arrivé hier avec un saumon. Il a profité de la nuit pour rouler sur des autoroutes pratiquement désertes, avec le saumon sur le siège arrière. A minuit il faisait encore chaud dans la voiture, nous a-t-il dit. Il avait mis la musique et ouvert les fenêtres comme s'il conduisait dans un autre pays, pas en Angleterre. Il n'est pas resté longtemps. Il a discuté avec Edward pendant une bonne heure dans la chambre d'Isabel, puis il a mangé du pain et du fromage dans la cuisine et il est reparti. Mais Edward a l'air plus heureux, et Alex nous a laissé le saumon. C'est lui qui l'a attrapé. Il passe ses vacances seul en Écosse, à pêcher. Le poisson lui a tenu compagnie à l'aller, enveloppé dans un sac de congélation. Maintenant Alex va refaire les huit cents kilomètres en sens inverse en direction des sorbiers et de la bruyère qui commence tout juste à s'empourprer. Il s'est promené dans le jardin d'Isabel comme dans un domaine imaginaire, ses clés de voiture n'arrêtaient pas de cliqueter dans sa main. Son esprit était ailleurs. J'ai toujours bien aimé Alex et je l'ai apprécié plus encore lorsque je l'ai vu entrer, portant le saumon comme un bébé.

Aujourd'hui je vais cuisiner. Nous mangerons ensemble, dans la salle à manger sombre et fraîche. Je vais cuire le saumon à four très bas, avec de l'aneth et des baies de genièvre. Je le servirai tout juste chaud, avec une sauce hollandaise, des pommes de terre nouvelles, des haricots verts, un gros concombre bien mûr au goût de fruit et non d'eau, et de belles tomates cueillies dans la serre d'Isabel. Elles sont tellement mûres qu'elles se détachent toutes seules de leurs tiges. Et puis je ferai une tarte aux pommes et une mousse de groseilles à maquereau. Ça va me prendre la majeure partie de la journée, surtout avec la cuisinière d'Isabel. On mangera à 19 heures quand le bébé aura tété, pris son bain et qu'avec un peu de chance il sera endormi pour deux ou trois heures. Richard passe la journée à Londres où il donne une interview à un journaliste financier, mais il sera de retour vers 17 heures.

Ce matin, j'ai déballé le poisson après l'avoir sorti du freezer. C'est une grande bête souple et argentée sans une écaille abîmée. Alex l'avait emballé avec soin et lui avait fourré une branche de bruyère dans la gueule. Il l'avait même vidé, et les bords du ventre se rejoignaient soigneusement, comme des lèvres. Il serait plus doux au goût, plus intense, moins lourd qu'un poisson d'élevage. Alex avait essuyé le sang. Posé sur un plat ovale, le saumon était légèrement arqué, comme figé dans le souvenir de son dernier saut.

Edward est entré au moment où j'étalais un morceau d'alu sur le poisson sans le comprimer, afin de le protéger des mouches pendant qu'il dégèlerait. J'aurais dû le recouvrir d'une mousseline parce que l'alu peut décoller les écailles, mais je n'ai pas pensé à en acheter quand je suis sortie faire des courses plus tôt dans la matinée.

« C'est pour ce soir ? » m'a-t-il demandé. J'ai hoché la tête.

« Tu veux que je t'aide ? »

J'ai levé les yeux et réfléchi très vite. Je ne délègue jamais les tâches que je préfère, je ne suis pas ce genre de cuisinière-là.

« Tu peux préparer la salle à manger si tu veux. Cirer la table et épousseter les chaises. Ça me fera gagner du temps.

— D'accord, a-t-il répondu, à ma grande surprise. Où sont les chiffons ? »

Je lui ai trouvé des bouts de tissu et un morceau de cire d'abeille durcie. Isabel n'a pas de chiffons à poussière. La maison n'est ni propre ni sale, elle me rappelle celle de notre enfance, avec le sable qui engorgeait le lavabo, les coquillages et les algues derrière l'évier de la cuisine, la minuscule poubelle que ma mère doublait de papier journal, débordant de cochonneries, et les cadavres des mouches bleues qui traînaient pendant si longtemps sur les rebords des fenêtres qu'on finissait par considérer qu'elles faisaient partie de la famille. Tout comme notre mère, Isabel verse parfois de l'eau de Javel dans l'évier ou les toilettes, ou encore de l'eau bouillante sur un nid de fourmis trop proche de la cuisine. Quand je la regarde faire je me sens à la maison, comme si ses gestes allaient au-delà de l'affection, et même de l'amour. Une fois le linge rentré, ma mère avait une manière bien à elle d'approcher le coin d'un drap ou d'un chemisier de son nez, en quête d'une éventuelle odeur d'humidité. Je me suis forcée à cesser de l'imiter, mais Isabel continue. Elle aussi double sa poubelle à compost de papier journal, si bien que le paquet d'épluchures et de coquilles d'œuf se désagrège quand je le sors parce qu'il est tout mouillé.

Je souris, et Edward me regarde, prêt à sourire lui aussi.

C'est la tarte qui va me prendre le plus de temps. J'ai acheté du beurre blanc de Normandie, de la farine pâtissière et un kilo et demi de pommes Jonagold, à la fois acides et douces. Ce ne sont pas les bonnes pommes, mais je ne trouverai pas mieux en cette fin de saison, avant l'arrivée des nouvelles pommes. Il faut les couper régulièrement, en fins croissants d'épaisseur égale qui, rangée après rangée, se chevaucheront tout en s'enroulant vers l'intérieur. Je les enduirai ensuite de confiture d'abricot en guise de glaçage. La tarte doit cuire jusqu'à ce que les bords des rangées de pommes soient pratiquement noirs, le fruit encore charnu et juteux cependant. Lorsque l'on ferme les yeux et que l'on mord dedans, on doit sentir en même temps le goût du caramel, de la pomme acide, le jus, ainsi que la texture surprenante et sablonneuse de la pâte sucrée. Aucune des saveurs ne doit dominer les autres. La pâte est prête et elle repose dans le frigo. Entre ses fouets poussiéreux et ses cuillères en bois qui sentent l'oignon, Isabel possède tout de même une énorme plaque de marbre au bord cassé, sur laquelle j'ai fait la pâte en coupant le beurre en petits morceaux dans le tas de farine, puis en les incorporant d'un mouvement vif et léger afin que le mélange soit bien homogène.

Je prépare le roux pour la sauce hollandaise à feu doux. Ça sent la feuille de laurier, à mon avis plus qu'il ne faudrait. Je me demande si je devrais ajouter encore un peu d'oignon puis décide que non. Ça bout et ça épaissit en dégageant une odeur épicée de muscade et une forte senteur de vinaigre. J'adore préparer des sauces, de ces vraies sauces bien luisantes grâce aux jaunes d'œuf et aux innombrables morceaux de beurre qui les composent. Je passe le roux au chinois, l'allonge un peu et incorpore lentement les jaunes d'œuf au fouet. Puis j'arrive à mon étape préférée. J'ai mis une casserole d'eau à chauffer sur l'une des plaques, mais c'est trop fort, l'eau bouillonne plus que nécessaire. Les boutons de ces plaques sont rudimentaires. Je baisse et l'eau semble s'endormir. Je remonte et la voilà qui se remet à bouillonner. Je trifouille une fois de plus et j'obtiens enfin ce que je veux. L'eau frémit imperceptiblement, presque vivante. Je place mon bol de sauce au-dessus et j'ajoute le premier morceau de beurre que je regarde glisser puis je fouette. Je laisse tomber un autre morceau, fouette une nouvelle fois, et continue ainsi en regardant le mélange épaissir et en vérifiant la chaleur pour m'assurer que la sauce reste aussi lisse qu'une pommade et ne fait pas de grumeaux. Il faut y mettre douze morceaux de beurre au total. La sauce luisante les avale tous et n'en devient que plus grasse et plus épaisse. Je la laisse cuire encore un petit peu, tout en continuant de fouetter doucement. Maintenant, elle m'a l'air bien. Je plonge une cuillère en bois propre et la sauce la nappe parfaitement.

La dernière étape est un jeu d'enfant. Un jus de citron, une pincée de sel et de poivre. Je replonge la cuillère en bois, passe mon doigt au dos puis goûte en fermant les yeux.

« Je parie que c'est bon, ça », lance Richard derrière moi.

Je me retourne et lui tends la cuillère. « Goûte si tu veux. Tu rentres tôt.

— Ça m'a pris moins longtemps que prévu.

— Ça s'est bien passé ?

— Mais oui. L'article sortira dans le *Financial Times* de jeudi prochain. »

Il est content de lui, en homme qui a bien occupé sa journée. Il sent le train. Il regarde le poisson sur le point d'être enfourné, dans son suaire de papier alu.

« C'est quoi, ça ? Le saumon d'Alex ?

— Oui. »

J'enlève la sauce du feu tandis qu'il me tourne autour en souriant. « Il est temps de le mettre au four », dis-je. Je soulève le poisson et Richard s'agenouille pour m'ouvrir la porte.

« Ce n'est pas très chaud, fait-il remarquer.

— Pas besoin. »

Le saumon rentre juste. J'ai déjà vérifié, donc je ne suis pas surprise, ça se joue à un centimètre près.

Le poisson cuit, les pommes de terre sont prêtes à bouillir ; les tomates, en un tas chaud sur la table, devront être coupées le plus tard possible, puis parsemées de basilic ciselé et de sucre brun. Les haricots attendent dans une passoire. Les tomates sont d'un rouge vif qui contraste avec la surface endommagée de la table. Leur peau est dure. Je vais les inciser avec la pointe d'un couteau, les plonger dans l'eau bouillante et les peler.

Richard a laissé la porte d'entrée ouverte, et une langue de lumière éclatante caresse le sol en pierre. Je pense aux fleurs sur la table, aux groseilles toutes chaudes qu'il faudra cueillir à la dernière minute puis écraser à la fourchette, ainsi qu'à la crème que j'ai déjà battue pour les y incorporer. Je pense à nos sept corps, le mien, ceux de Richard, d'Isabel, du bébé, de Susan, d'Edward et d'Alex. Alex doit être au bord de sa rivière à présent, un halo de mouches autour de la tête. La chaleur est moins pesante là-haut, elle brûle la fougère, qui brunit, et les sorbiers, qui virent d'abord à l'orange puis au rouge foncé. Les eaux où il pêche sont tellement douces que lorsqu'il a soif il n'a qu'à joindre les mains, les plonger, et boire. Isabel est assise dans le rocking-chair et se balance d'avant en arrière, les yeux mi-clos. Susan est partie rendre visite à sa mère, avec le bébé. A l'heure du thé, elle l'a installé dans le sac kangourou, a coiffé sa petite tête nue d'un chapeau en jean et l'a emmené à travers champs. Edward a ciré la table qu'il a mise pour cinq, et le voilà qui tape maintenant sur son portable une longue lettre à Alex. Mais il fait trop chaud pour penser et ses doigts glissent sur les touches. Un petit avion est passé deux fois au-dessus de nos têtes, traînant derrière lui une longue banderole sur laquelle on lit « Visitez le Monde Magique de Damiano ».

Et Richard, lui, est là. « Tu veux boire quelque chose ? » me demande-t-il. Je regarde par la fenêtre et tout à coup les ombres me paraissent plus bleues, plus diffuses. L'interminable après-midi touche à sa fin.

Ils sont tous attablés, ils attendent, même Isabel. Je les entends depuis la cuisine : un rire, puis un murmure, comme le bruit des spectateurs s'installant dans leurs fauteuils. A part le saumon, tout est déjà sur la table. Ça fait une demi-heure qu'il est sorti du four et qu'il refroidit à l'intérieur de son enveloppe. Je prends une paire de ciseaux, coupe un coin puis fais courir le tranchant tout du long pour ouvrir l'alu et découvrir le poisson. J'enduis mes deux mains de beurre et les glisse sous le saumon que je soulève. Il sort sans aucune difficulté ; sa peau argentée et éclatante est intacte, et je le dépose sur un lit d'aneth frais dans un plat blanc et propre. Puis je me lave les mains.

Quand je l'apporte, Isabel applaudit légèrement, ses mains cachent ses yeux que je ne vois pas. Edward applaudit aussi et son visage a ce petit sourire ironique qui, chez lui, ressemble davantage à un tic. Richard n'applaudit pas. Lorsque je pose le plat lourd, je le vois avaler la salive qui lui est montée à la bouche.

« Oooh ! fait Susan. Il est magnifique ! C'est presque dommage de le manger. »

Mais nous le mangeons. Sa chair couleur corail se détache des arêtes. Sa colonne vertébrale fait penser à une nef en ruine. Ses yeux se sont enfoncés pendant la cuisson et, vitreux comme ceux d'un vieillard, ils regardent vers l'intérieur. Des lambeaux de peau et d'écailles retombent sur les arêtes au fur et à mesure que nous mangeons, que nos assiettes se vident et se remplissent, chaque bouchée de poisson plongée dans la sauce qui n'est pas dorée du tout mais d'une pâleur de primevère sous cette lumière. La chair du saumon est crémeuse, avec une vague saveur de mer, piquante et fraîche.

« Du saumon comme ça, on n'en trouve pas dans le commerce ! s'exclame Richard. Dommage qu'Alex ne soit pas resté plus longtemps avec nous. »

Isabel tend la main pour effleurer la manche d'Edward. « Mais tu vas y aller la semaine prochaine, hein ? lui dit-elle. Et tu mangeras du saumon tous les soirs.

— Jusqu'à s'en rendre malade, notre citadin », lance Richard en portant de nouveau son verre à ses lèvres. Il a déjà beaucoup bu. Isabel le regarde et fronce un peu les sourcils. Je me rends compte tout à coup qu'elle est sobre bien sûr, puisqu'elle allaite. Voilà pourquoi elle a ce regard distant et critique.

Moi, je suis loin de l'être. Je me suis mise à boire dès que le saumon a atterri sur la table. Ma journée passée à jouer les tornades culinaires est terminée. Qu'ils écrasent donc leurs cigarettes sur les arêtes du saumon si ça leur fait plaisir.

La tarte est prête, elle attend, et la crème est fouettée. La mousse de groseilles refroidit. Je n'ai rien d'autre à faire que manger et boire. J'ai bu les premiers verres rapidement, cul sec, l'estomac pratiquement vide, et aussitôt la pièce s'est mise à briller puis à onduler. Maintenant, à mon troisième verre, je me souviens de celui que j'ai bu un peu plus tôt avec Richard. Je me sens flotter dans les airs tandis que la lueur bleutée du soir caresse la longue table ainsi que la peau abîmée et luisante du saumon. Des martinets sautillent de l'autre côté de la vitre et des hirondelles retournent vers leur nid sous l'avant-toit de la grange. Je songe aux chouettes, qui baisent le vent. Mon corps se ramollit rien que d'y penser.

Susan a retenu ses cheveux en arrière avec un bandeau noir, on dirait une joueuse de squash. Sa bouche est luisante de beurre, et ses mains coupent la nourriture en morceaux minuscules, au point de la rendre presque méconnaissable, avant qu'elle la mange. De temps à autre, elle lance un regard rapide vers l'un ou l'autre visage. Isabel a cessé de manger alors que son assiette est pratiquement pleine. Elle tient entre ses doigts une cigarette pas encore allumée qu'elle semble avoir oubliée. Richard se lève et passe maladroitement près de moi, en chemin vers la cuisine où il va chercher du pain. Il nettoie toujours son assiette avec du pain. Il chancelle et s'appuie sur mon épaule pour ne pas perdre l'équilibre.

« Apporte donc la tarte », lui dis-je. Susan rit fort et postillonne de la pomme de terre entre ses dents. Edward se retourne et l'essuie avec une serviette, comme un grand frère, pendant qu'Isabel se penche pour allumer sa cigarette à l'une des bougies qui brillent tout à coup, parce que la nuit est tombée sans que je m'en aperçoive.

Le temps passe, même si je ne le remarque pas. Richard flanque la tarte sur la table devant moi, avec une vigueur telle que je crains de voir la croûte se briser. Mais non. En général, je ne supporte pas de ne pas couper moi-même une tourte ou une tarte que j'ai faite, mais ce soir je m'en fiche éperdument. « Servez-vous. Autant qu'elle soit mangée », dis-je, comme si la nourriture ne comptait pas. Je fixe les pommes disposées en cercle sur la tarte. Isabel secoue la tête presque imperceptiblement et tire sur sa cigarette. Susan hésite et jette un regard à la ronde avant de se saisir du plat qui lui est offert et d'y plonger le couteau. Elle s'en coupe une petite tranche.

« Prends-en une grosse, lui dit Edward. On voit bien que tu en meurs d'envie ! » Susan glousse et recoupe. « Je vais te verser la crème, ajoute-t-il en soulevant la jatte bien haut.

— Laisse-la donc faire toute seule », intervient tranquillement Isabel. Edward lui jette un coup d'œil et glisse la jatte dans la main de Susan.

Richard m'a servi à boire. J'avale le vin jaunâtre sans me préoccuper beaucoup de son goût, même s'il est bon. Je prends la bouteille et remplis de nouveau mon verre vide, à ras bord. Je suis complètement soûle et je veux l'être plus encore.

Tout d'un coup je m'entends dire : « J'ai envie de voir les chouettes.

— Je peux vous les montrer si vous voulez. Elles font leur nid dans notre grange, dit Susan.

— Allons-y tous ensemble, suggère Richard.

— Elles n'y sont sûrement pas pour l'instant. » Isabel écrase sa cigarette. « Il fait nuit. Elles sont en chasse. » Puis elle se raidit. « C'était lui ? demande-t-elle.

— Je ne pense pas, répond Susan en prenant une cuillerée de crème.

— Je suis sûre que si. » Isabel se lève. Elle porte une robe en soie que je ne lui ai jamais vue, longue et près du corps, d'un rouge foncé presque noir, comme les mûres. Instinctivement je baisse les yeux sur mes vêtements : pantalon noir et chemisier crème en lin. Je me demande si le jour viendra où je ne sentirai plus ce pincement au cœur, tellement profond qu'on le dirait naturel.

« Je ferais aussi bien de l'allaiter dans ma chambre, dit Isabel.

— Tu vas te coucher ? l'interroge Richard. Il est bien tôt.

— Pas pour moi. Ne fais pas de bruit en entrant, sinon tu vas le réveiller juste au moment où j'aurai réussi à l'endormir. Ou alors, tu pourrais dormir ici, en bas, sur le divan. Ce serait peut-être plus facile. »

Elle le regarde et il la regarde, pivotant avec cet air tourmenté et aveugle que je lui connais.

« Très bien », lui répond-il.

10

Je trébuche dans l'escalier et me cogne durement le tibia. Je ferais mieux de monter les dernières marches à quatre pattes jusqu'au palier où un rai de lumière filtre sous la porte d'Isabel.

« Isabel ? »

La porte s'ouvre et elle apparaît avec le bébé sur l'épaule.

« Qu'est-ce que tu fabriques ?

— Il faut que je m'assoie, Iz, je ne me sens pas bien.

— Je me disais, aussi, que tu buvais beaucoup. »

Je me vautre dans son fauteuil et la regarde se rasseoir puis tapoter le dos du bébé. La pièce est trop lumineuse, et je ferme les yeux.

« Je suppose que Richard est encore en train de picoler.

— Il est sorti faire un tour avec Edward et Susan.

— Tu aurais dû les accompagner. »

Je fais un énorme effort pour ouvrir les yeux. « Non. Je suis mieux ici.

— Je me demande si c'est de la colique. Tant que je le tiens comme ça il va bien, mais dès que je le repose il se met à crier. »

Isabel se lève et promène le bébé de long en large en suivant la même latte du parquet.

« Je me rappelle avoir fait ça avec toi, dit-elle.

— Comment ça ?

— Je te mettais dans le landau de la poupée et je t'emmenais en balade. Je me souviens que les gens regardaient dedans en pensant trouver une poupée, et puis ils s'apercevaient que c'était un vrai bébé. Tu aurais vu leurs têtes. Je te bordais bien puis je paradais avec toi dans la rue. Ensuite je t'emmenais en bas de la colline et je serrais la rampe au cas où le landau m'aurait emportée. Et ça a failli, bon nombre de fois. Tout le monde me disait que j'étais une vraie petite maman. Et moi, je ne me prenais pas pour rien. Dieu seul sait ce qu'ils pensaient vraiment. »

Je la regarde marcher, sa main droite tapotant le minuscule dos voûté d'Antony.

« Tu n'as pas mangé le repas que j'avais préparé, dis-je soudain.

— C'était délicieux, Neen. Tout le monde te l'a dit, d'ailleurs. Mais tu sais bien que je ne peux pas. »

Elle me regarde sans ciller, par-dessus la tête du bébé. Je n'ai jamais entendu Isabel pousser si loin la confession, même si je sais tout ça, bien sûr que je le sais. J'ai simplement choisi de prétendre que les choses évoluent et que les gens changent, et Isabel me facilite la tâche. Elle a toujours pris son petit déjeuner de bonne heure, elle va toujours aller déjeuner dans le jardin, ou alors elle n'a pas encore très faim pour le dîner. En fait, Isabel ne peut pas manger autour d'une table avec d'autres gens. Quand je regarde en arrière je n'arrive pas à me souvenir si elle a jamais pu. Notre mère lui laissait des sandwiches et des pommes sous des assiettes couvertes et l'autorisait à se servir à sa guise dans le garde-manger. J'enrageais parce que c'était tellement injuste, mais ma mère n'en démordait pas.

« Pourquoi je peux pas avoir des Rice Krispies pour dîner comme Isabel ?

— Parce que vous n'êtes pas pareilles. »

Je me demande comment elle se débrouille. Notre

mère craignait toujours qu'elle ne mange pas assez, mais personne n'avait le droit de faire la moindre allusion à la nourriture devant Isabel.

« Mais tu allaites ! Tu n'as pas faim ? »

Isabel tend le doigt vers la table de chevet.

« Regarde un peu dans le tiroir.

— Je ne suis pas certaine de pouvoir me lever.

— Bien sûr que si. »

La table tangue alors que je m'en approche. J'attrape le bouton et le tiroir s'ouvre.

« Tu vois, dit Isabel, des galettes d'avoine et des abricots secs. J'en mange tout le temps, c'est bourré de fer. Tu n'as pas à t'inquiéter. »

Je pense à la maison, remplie toute la journée d'odeurs de nourriture, et à Isabel assise ici à grignoter un abricot ou un quart de galette. Je crois bien qu'elle en a parlé plus en détail une fois. Je me rappelle sa voix, qui parlait des bouches des gens qui s'ouvrent et se ferment, de leurs mains qui se tendent vers la nourriture, tout ce ballet irréel, au ralenti, comme si le temps était figé et qu'elle était figée là elle aussi. Elle a toujours détesté les gens qui mangent trop, à part moi. Elle aimait bien que je mange. Oui, maintenant je me souviens. A une époque, elle pouvait manger devant moi comme si je faisais partie d'elle. Je ne sais plus à quel moment ça a pris fin.

« J'espère que le bébé ne sera pas comme moi, dit Isabel. Toi tu crois que si ? »

Je le regarde : il dort en sifflant sur son épaule, mou comme un chiffon. Ses yeux sont fermés tellement fort qu'on ne distingue plus qu'une ligne très mince. « Il ne te ressemble pas beaucoup.

— Je ne supporte pas de penser à ce qui pourrait lui arriver, dit Isabel d'une voix basse et vibrante.

— Il ne lui arrivera rien.

— Comment tu le sais ? Comment tu peux savoir ? Il pourrait lui arriver n'importe quoi. Les bébés sont incapables de se plaindre à qui que ce soit.

— Mais il ne m'est rien arrivé à moi, si ? Et tu n'avais que quatre ou cinq ans quand tu me promenais dans toute la ville.

— Il n'est pas comme toi, répond Isabel, si doucement que je l'entends à peine. Regarde-le. Tu trouves qu'il ressemble à qui ? »

Je le scrute, mais pour moi il ne ressemble à personne. « Un peu à papa, non ? dis-je, parce que quelqu'un d'autre l'a déjà suggéré.

— Oui, je crois. » La tension dans sa voix a disparu. « Oui, je crois qu'il ressemble beaucoup à papa quand on le regarde de près. »

Je suis allongée sur le dos dans le lit d'Isabel, sans trop savoir comment je suis arrivée là.

« Ne t'endors pas, Neen. » Je sursaute. Sa voix est de nouveau tendue.

« Qu'est-ce qu'il y a ?

— Le bébé va bien, tu crois ? »

Je me relève et inspecte le petit visage fermé. Il a la même couleur que tout à l'heure et il semble respirer.

« Bien sûr qu'il va bien, Izzy. Tu es fatiguée, c'est tout. Je vais y aller, comme ça tu pourras dormir un peu.

— Ne t'en va pas, Neen.

— Mais il faut que tu te reposes. » Et l'ivresse m'abandonne, laissant place à une immense fatigue, comme de la vase dans un estuaire quand la marée s'est retirée. Je me traîne hors du lit.

« Va chercher Edward, alors. Dis-lui que j'ai besoin de lui.

— Il est sûrement parti se coucher, Izzy.

— Mais non. Ça ne le dérangera pas, je t'assure.

— Bon, d'accord. Tu es sûre que tu ne veux pas que je reste ?

— Ça va aller. Va me chercher Edward. »

Il est dans la cuisine. Tout à l'heure nous n'avons pas touché à la mousse de groseilles mais Edward l'a trouvée. Il est attablé, un bras enroulé autour du bol dans lequel il plonge sa cuillère. Il la lève en guise de salut.

« Délicieux. Tu es vraiment une excellente cuisinière, Nina.

— Isabel te réclame. » J'ai l'impression que ma langue est trop grande pour ma bouche, trop grande pour toute explication avec Edward. Il a dû partir sur-le-champ, en tout cas il n'est plus là lorsque je regarde de nouveau. Et quelqu'un a fait la vaisselle. Je repars, traversant la salle à manger où brille la table, vide. Figées sous la cire compacte, les bougies sont éteintes tandis que les fleurs baignent dans une mare de pétales éparpillés.

Dans la pièce d'à côté, le salon, je trouve Richard endormi à plat ventre sur le divan, la tête cachée dans ses bras. Il ronfle. Susan est assise sur un coussin sous la fenêtre, à l'autre bout de la pièce.

« Ah, super, dit-elle, vous voilà. Ne vous inquiétez pas, il va bien. Je l'ai installé en position de survie.

— Quoi ?

— En position de survie. Il n'aura aucun problème.

— Que s'est-il passé ? Il a eu un accident ?

— *Il était terriblement soûl,* articule Susan sans bruit comme si Richard risquait de nous entendre. Il aurait pu avaler son vomi.

— Mon Dieu. » Je fixe Richard. « Vous voulez dire que c'est vous qui l'avez étendu comme ça ? »

Susan sourit fièrement.

« Au cours, ils nous ont appris comment soulever, explique-t-elle. Il est costaud mais ça n'a pas été trop difficile. Edward n'a pas pu m'aider parce qu'il a le dos fragile.

— Eh bien, bravo », dis-je. Les yeux de Susan brillent. Elle ressemble à un ange dans cette lumière avec ses cheveux blonds qui paraissent blancs, redressés autour de sa tête et retenus par le bandeau noir. Elle déborde de questions, sa bouche s'ouvre déjà pour demander comment va Isabel, pourquoi Richard est soûl et ce que je vais faire du saumon qui reste. Mais je montre Richard, je pose un doigt sur mes lèvres et je sors de la pièce. Il est grand temps que cette soirée se termine.

Je me déshabille dans le noir en laissant les rideaux ouverts. Comme j'aimerais être à Londres en ce moment, avec la lueur orange de la rue qui filtrerait au travers des rideaux, que j'ai toujours l'intention de remplacer par quelque chose de plus épais. J'aimerais me réveiller un jour de grisaille et entendre le crissement des pneus sous la pluie. Cette obscurité campagnarde me fait mal aux yeux alors que j'essaie de la percer. Mais il ne fait pas vraiment nuit pour l'instant. Plus je regarde et plus je vois d'ombres. Un croissant de lune d'un jaune pâle est accroché aux branches d'un arbre. Puis il s'en détache et s'élève, comme la bulle d'air d'un plongeur. J'enfile un tee-shirt marine et m'assieds sur le lit pour observer le ciel.

Mais je dois aller voir Isabel. Elle avait envie que je reste auprès d'elle, moi pas. J'ai toujours envie qu'elle veuille de moi, et puis quand c'est le cas je file. Je préfère l'écouter me parler de l'époque où j'étais son bébé. Je suis sa sœur et c'était moi qu'elle voulait à son côté, pas Edward.

Je ne frappe pas. Je pousse doucement sa porte, au cas où elle dormirait. Ils sont là. Edward a dû rester assis dans le fauteuil à côté de son lit pendant un bon bout de temps. Il lui tient la main. Son pied gauche est posé sur le berceau qu'il berce doucement, en rythme, comme s'il actionnait la pédale d'une vieille machine à coudre. Le bébé et Isabel sont tous deux endormis. Elle est allongée sur le dos, enfoncée dans le lit, la tête de côté. Je suis face au berceau et je vois la tête du bébé, ses poings collés contre son visage. Edward tourne le dos à la porte, il a la tête penchée, et je pense tout d'abord qu'il est peut-être endormi lui aussi. Mais il est réveillé. Il entend la porte craquer. Sans lâcher la main d'Isabel ni interrompre la douce pression qu'il exerce sur le berceau, il tourne la tête et me regarde par-dessus son épaule. Il secoue la tête, si légèrement que ça ne dérange absolument pas Isabel ni le bébé. Que faire d'autre sinon repartir ?

Je pense aux heures qu'Edward passe dans la chambre d'Isabel à parler d'Alex, forçant sa compréhension et ses conseils, sans rien donner en retour. Pourquoi fait-elle ça ? Pourquoi les garde-t-elle ici, Edward, Alex et tous ceux qui viennent pour dîner puis restent une semaine ? Tous ceux qui l'épuisent, la vident et l'empêchent de faire ce qu'elle a vraiment envie de faire ? Je ne peux jamais la voir seule.

C'est ainsi que j'ai toujours vu les choses. Je suppose que nous avons tous une histoire relative aux gens que nous aimons, et la mienne, avec Isabel, c'est cela. Une histoire sécurisante, confortable et réconfortante. Une de ces histoires dont les enfants sont tellements friands qu'ils les redemandent sans arrêt au point de repousser tous les autres livres. Peut-être que la force avec laquelle je me raconte cette histoire-ci m'empêche d'entendre autre chose. Sinon, pourquoi Isabel serait-elle étendue là, profondément endormie après avoir confié son bébé à Edward ? Et ce regard qu'il m'a lancé, comme si j'avais fait exactement ce qu'il attendait de moi ? Il en sait plus sur moi que je ne croyais.

11

Je m'enfonce dans le sommeil aussi goulûment que dans de la nourriture et les rêves se bousculent. J'en fais toujours trop quand je ne travaille pas, parce que toutes les images que je devrais créer attendent que je m'endorme pour sortir.

Je rêve d'un jardin, c'est celui d'Isabel mais il est différent. La brûlure de l'été a décoloré l'herbe du vrai jardin en jaune crème, alors que celle du rêve est douce et verte. Je suis tout près d'une longue plate-bande de fleurs, avec une épaisse haie d'ifs derrière moi. Telle une tarte aux fruits la haie vert-noir est étoilée de baies, bien que ce ne soit pas la saison. Les solidages et les rudbeckies en fleur sont d'un jaune ardent et il flotte dans l'air une odeur entêtante d'herbe-aux-chats. Je parcours la plate-bande du regard et vois qu'elle en est bordée tout du long. Des pommiers nains poussent au milieu des fleurs, lourds de fruits juteux, tellement lourds que certaines des branches se sont cassées et que l'on voit le blanc du bois sectionné.

Quelqu'un arrive. Je pense à Isabel, mais ce n'est pas elle que j'attends. Je vibre d'excitation. Je baisse les yeux et je remarque que je suis vêtue d'une nouvelle robe. Je me sens belle et tendue. Je porte cette robe parce que je vais rencontrer quelqu'un, ici, maintenant. Son nom m'échappe, pourtant je le connais bien. La plate-bande grouille d'abeilles, bourdonnant dans l'herbe-aux-chats ou accrochées aux têtes des solidages qu'elles font pencher sous le poids de leurs corps. Je n'arrête pas de faire les cent pas et je sens ma robe onduler contre mes jambes.

Dans le second rêve il ne se passe rien. J'y vois la rivière, plus large et plus profonde qu'elle ne l'est maintenant après des semaines de sécheresse. L'eau a une couleur différente aussi, comme du verre fumé. Je suis debout sur la rive et je regarde en bas. Je vois des petits cailloux dans le fond, aussi clairement que s'ils étaient dans ma main ; logée au milieu il y a une minuscule poupée en plastique comme celles des maisons de poupées, nue avec des yeux grands ouverts. L'eau va et vient par-dessus et j'entends quelqu'un dire derrière moi : « En fait ces graviers sont des rochers. C'est la profondeur qui les fait paraître si petits. »

J'essaie de reculer, terrifiée maintenant que je me rends compte de la profondeur de l'eau, mais la même voix me lance : « Attention. Reste où tu es. Si tu bouges tu vas tomber. »

« Il y a un fax pour toi. » Richard me le tend et je le lis aussitôt, heureuse de me voir confirmer que j'ai une vie en dehors de cette maison. Je le relis pour être sûre d'avoir bien compris. Mais oui ! La Fondation Cruzet va avoir besoin de mes services pour immortaliser les visites à la Maison de la musique. Ça veut dire trois voyages en Roumanie de deux semaines chacun. Ils souhaitent des croquis *et* des photos, c'est sûrement pour ça qu'ils m'ont confié le projet, dans la mesure où il devait y avoir beaucoup de photographes plus expérimentés que moi sur le coup. J'ai passé quelques jours en compagnie d'un musicothérapeute afin de constituer un petit dossier et de définir la base de ma proposition. A l'époque ça m'avait semblé idiot, deux jours pleins que je ne pourrais jamais facturer. Mais parfois il faut savoir prendre des risques, si l'on veut obtenir le genre de travail qui vous tient à cœur.

« Tu m'as l'air contente.

— Je n'aurais jamais pensé décrocher ça. C'est super comme boulot.

— J'ai lu le fax, mais je ne l'ai pas bien compris. C'est quoi, la Maison de la musique ?

— Un orphelinat en Roumanie.

— Seigneur. Tu ne vas pas aller dans un de ces endroits-là, si ?

— Tu imaginais quoi ?

— Je ne sais pas. Les photos qu'on voit dans les journaux. Des gosses au crâne rasé avec de grands yeux et la cervelle en compote. Mais on ne parle plus d'eux dans les journaux, si ? Ils ont déjà eu leurs cinq minutes de gloire.

— D'où ce projet, pour que ça ne se passe pas systématiquement comme ça. La maison en question utilise la musique en permanence, si bien que même les enfants qui ne peuvent pas parler jouent dans l'orchestre et apprennent à chanter. Ils choisissent un morceau de musique qui devient le leur, un peu comme un second prénom. Certains d'entre eux ne savent même plus comment ils s'appellent parce qu'ils ont été abandonnés trop jeunes. On leur donne à chacun un instrument dès leur arrivée et personne d'autre n'a le droit d'y toucher. Et s'ils le cassent, il sera toujours remplacé. Au début la plupart des instruments étaient faits main, mais maintenant on leur en a donné plein et ils font un concert chaque soir après dîner. Il y a deux musicothérapeutes sur place en ce moment, en plus de la femme qui a lancé le projet. Elle travaille avec les enfants douze heures par jour. Tu imagines ce que j'arriverai à faire, en vivant là-bas deux semaines chaque fois ?

— Je comprends surtout pourquoi tu as décroché ce boulot. Apparemment, tu t'es bien documentée.

— Cette idée est absolument unique ! Personne n'a encore essayé un truc dans ce genre.

— Je te crois sur parole. »

Je prends ma tasse de café et je bois. Je meurs d'envie de regarder à nouveau le fax mais je me retiendrai tant que Richard sera là, puisque de toute évidence ça ne l'intéresse pas. Avec lui, je me fais l'effet d'un bon Samaritain trop naïf. Qu'il aille se faire foutre. Il ne voit pas ce que je veux. Les enfants aussi uniques que des gouttes d'eau et des instruments qui se parlent bien avant que les enfants ne puissent le faire. Des groupes d'enfants jouant ensemble, un seul visage qui entre dans la lumière pour être de nouveau absorbé par l'ombre. J'imagine des éclats de lumière, de sons. Je me servirai aussi d'un caméscope, j'effectuerai des arrêts sur image et je dessinerai à partir de ça. Je me vois faire des collages, dessiner sur le grain des photos. Qu'importent la pauvreté de l'équipement et la dureté des conditions. C'est ce que je veux. Un travail dur, immédiat, sur le fil. Un peu comme un orchestre de percussions, mais avec des moments de silence à vous couper le souffle.

« Il faut que je renvoie un fax. Je peux ?

— Bien sûr, quand tu veux, et tu peux aussi te servir de l'ordinateur. Je me demandais justement comment tu te débrouillais pour ton travail.

— Ça ne fait que huit jours que je suis ici et je n'ai pas pris de vacances depuis Noël.

— Seulement huit jours ? J'aurais cru plus.

— Merci.

— Ce n'est pas ce que je voulais dire. Et tu m'as aussi compris de travers pour ce truc en Roumanie, Nina. Je t'admire. » Je rougis violemment et me retourne pour bidouiller le bouton de la bouilloire électrique. Le baratin continue de tourner dans ma tête, celui que j'ai sorti à Richard comme celui que j'ai mis par écrit et qui m'a fait décrocher ce boulot. Je pousse le bouton et la bouilloire siffle à vide.

« Je suis très douée pour faire chauffer une bouilloire sans y avoir mis de l'eau.

— On en est tous là. »

Il est bouffi, lourd, assombri par la gueule de bois. Il s'est lavé avec un savon fortement parfumé, il a enfilé une chemise blanche et propre. Moi aussi j'avais des envies de propreté : je me suis lavé les cheveux, d'ailleurs ils sont encore mouillés.

« Le soleil commence à taper. Tu pourrais t'asseoir dehors pour te sécher les cheveux.

— J'avais l'intention de monter voir Isabel.

— Elle discute avec Edward. »

Aucun indice sur ce qu'il pense ou éprouve. « Allons faire un tour dans le jardin, suggère-t-il. Ça m'éclaircira peut-être les idées. »

Les allées vont en rétrécissant, ce qui ne permet pas vraiment à deux personnes de marcher côte à côte. Je ne l'avais jamais remarqué jusqu'à présent mais c'est bizarre, presque ridicule. L'un de nous doit toujours trottiner devant et retenir une branche, sinon on passe son temps à s'excuser de s'être tamponnés.

« Asseyons-nous sur ce banc », propose Richard. Il est en plein soleil et Isabel a placé un pot en terre cuite contenant de la marjolaine dorée à côté de nous. Le jardin bourdonne d'activités matinales, des oiseaux attaquent une figue presque mûre et les abeilles butinent de fleur en fleur. Ici, nous sommes totalement cachés.

« Je trouve qu'elle empire », dit Richard.

Je ne réponds rien, consciente que ce n'est pas de la cicatrisation d'Isabel qu'il parle.

« Elle n'est pas sortie dans le jardin depuis ton arrivée, si ?

— Bien sûr ! » Mais je réfléchis. Est-ce vraiment certain ?

« Je crois qu'elle a fait une tentative, le lendemain matin de mon retour. La preuve c'est que ses chaussures étaient mouillées. Mais quand je me suis réveillé, elle était retournée au lit, et elle avait une mine épouvantable. J'avais dormi dans le fauteuil.

— Elle a beaucoup souffert.

— Je ne parle pas de souffrance. Je crois qu'elle n'est plus capable d'aller dehors, tu comprends ce que je veux dire ? »

Je comprends. C'est comme pour la nourriture, tout paraît tellement logique jusqu'à ce qu'on y regarde de plus près. Isabel ne conduit pas et ce n'est pas facile de se déplacer en bus. Elle ne rend visite à personne. Pourquoi se traîner à Londres ou ailleurs alors que les gens peuvent venir ici ? Tous ses amis citadins meurent d'envie de s'échapper à la campagne. Ils viennent la voir, et ils le font de bon cœur, que ce soit Edward, Alex ou une douzaine d'autres. Quand est-elle allée à Londres pour la dernière fois ? Je réfléchis. Pas depuis sa grossesse. Pas de tout l'été dernier.

« Et les courses ? » Soudain, comme dans l'urgence, je me force à imaginer Isabel pédalant le long du chemin puis sur les quelques kilomètres de route qui mènent au magasin le plus proche, pour revenir avec de la mayonnaise hors de prix et des pinces à linge qui s'entrechoquent dans son panier.

« C'est moi qui les fais, répond Richard. La seule fois où elle a emprunté ce chemin ces derniers mois c'est quand elle est partie à l'hôpital. Pour la préparation à l'accouchement la sage-femme venait ici, puisque le bébé devait naître à la maison.

— Mais elle allait bien, à l'hôpital. »

Ma remarque tombe dans le silence. Le silence est dangereux. Deux personnes, avec le soleil qui tape, de plus en plus chaud sur mes bras et mes jambes nus. Mes cheveux doivent être pratiquement secs à présent. On entend le bourdonnement des abeilles qui vont et viennent tout près puis changent de direction. Plus loin, le tintement léger du métal contre le métal nous parvient, depuis la grange. Le bruit des autres gens qui travaillent accentue encore plus le côté intime de ce banc. Le visage de Richard brille de sueur. Il devrait porter un chapeau. Je ressens la même chose que lui : la boisson, le mal de tête, la gueule de bois, ce vague sentiment effrayant de culpabilité pour des choses qui n'ont pas eu lieu hier soir — le genre de sentiment qui me donne envie de m'éloigner de moi-même sans faire de bruit.

Nous nous embrassons. Nous ne nous touchons pas beaucoup. Juste nos lèvres. On dirait que nous avons tout le temps. Il a chaud sous sa chemise et toutes les choses que j'oublie chaque fois reviennent en force : les petits mouvements du début, les baisers de plus en plus profonds, l'épaisseur de la chair avant de toucher l'os. Je croyais en avoir fini avec cet appétit pour le commencement des choses, mais ça revient, et c'est mieux que tous les substituts que j'ai pu essayer de trouver. Je m'enfonce dans l'épaisseur de Richard en souhaitant qu'elle m'avale.

« Je n'ai jamais désiré qu'elle », lance-t-il, peut-être trente secondes après l'instant précédant le baiser. Il est assis très droit, les cuisses écartées, ses mains jointes pendent au milieu.

« Je sais. » Mais je ne peux m'empêcher de noter le temps qu'il emploie. Cela signifie *Jusqu'à maintenant.* Reste à savoir ce que le « maintenant » veut dire.

« Et tu ne m'aimes pas, tu aimes Isabel, dit-il en posant sa main sur la mienne.

— Qui te parle d'amour ? dis-je en le regardant droit dans les yeux. Mais on peut bien baiser sans que ça gêne personne. »

J'observe ses yeux qui s'étrécissent, comme des

fentes, puis s'élargissent. Sa main serre la mienne. Il soutient mon regard à présent et ne pense à rien d'autre.

« Je ne suis pas comme Isabel, je te l'ai déjà dit. J'aime manger et j'aime baiser.

— Tu as couché avec combien d'hommes ?

— Dix-neuf.

— Dix-neuf ? Tu en es sûre ?

— Peut-être vingt. Repose-moi la question demain.

— On ne peut pas faire ça ici.

— Et pourquoi pas ?

— On pourrait nous surprendre.

— Ça m'étonnerait.

— Tu aimes prendre des risques à ce que je vois.

— De toute façon il y en a toujours, alors pourquoi prétendre le contraire ? On est aussi bien ici qu'ailleurs. »

C'était vrai.

« Tu ne vas pas te déshabiller entièrement, si ?

— Pourquoi pas ? Ça s'appelle toujours baiser même si je garde mon soutien-gorge, alors pourquoi ne pas faire les choses correctement ? »

Il me regarde et je vois une lueur d'hésitation onduler dans ses yeux, comme une épinoche.

« Je parie que tu penses à ces dix-neuf hommes. Ne t'inquiète pas, il n'y a pas de risque.

— Non, Nina, ce n'est pas à ça que je pensais.

— Pourtant tu devrais, par les temps qui courent. Cela étant dit je n'ai pas le sida et je ne vais pas tomber enceinte, donc il n'y a pas de risque. »

Je me rassieds sur le banc, nue. Quoi qu'il fasse ça m'est égal. Je pourrais rester assise ici toute la journée à m'imprégner de la chaleur et de la lumière.

« Les femmes ont l'air tellement différentes une fois nues, dit-il d'une voix changée.

— C'est vrai, hein ? A combien d'entre elles tu penses ? Dix-neuf, ou bien vingt ? »

Il rit, s'assied à côté de moi, la jambe de son jean

contre ma jambe nue. Le soleil nous brûle. Richard glisse sa main sous mon sein et regarde mon mamelon durcir.

« Et si Susan passait par là ?

— Eh bien elle se dirait qu'on est sur le point de baiser.

— Ce banc n'a pas de dossier, fait-il remarquer. Si je te connaissais mieux je te demanderais de te mettre à plat ventre en travers pour que je puisse te prendre en levrette. Mais c'est une position délicate.

— C'est ça dont tu as envie ?

— Depuis toujours.

— Alors allons-y. »

Mes cheveux courts ne sont pas gênants puisqu'ils ne pendent ni ne traînent par terre. La position est effectivement délicate et le banc aurait été dur si je n'avais soigneusement étalé la chemise blanche de Richard dessus, et glissé son jean sous mon ventre en guise de coussin.

« Ce serait mieux de se mettre par terre », dit-il. A cause de la sécheresse l'herbe est rase, craquante, et elle chatouille. Je me mets à quatre pattes et puis je laisse le poids de mon corps tomber sur mes avant-bras. Il y a un souci à la hauteur de mes yeux, tellement proche que je sens son odeur poivrée. L'herbe sèche en dessous de moi, le cœur granuleux de la fleur et l'exposition longue et immobile forment un tout. Je me mets en position, me soulève, et le doigt de Richard glisse pour séparer les lèvres de ma vulve mouillée.

« Mmmmh. Tu es prête à m'accueillir, hein ? Je le sens. »

Il dit ça avec plaisir, soulagement, gratitude, pas comme le diraient certains hommes. Le chaud soleil tombe sur notre humidité et notre sueur tandis qu'à environ un mètre de là un merle attaque un vers qu'il vient de trouver. Mon corps s'étire, chaque membrane désireuse de laisser Richard y pénétrer.

12

Nous avons roulé dans l'ombre derrière le banc. Nous sommes étendus là et nos peaux se détachent en refroidissant, quand j'entends le cliquetis de la porte de derrière.

« Rhabille-toi », dis-je à l'oreille de Richard. Son visage détendu se durcit.

Nous enfilons nos vêtements à la hâte, guettant des pas, mais il n'en vient pas. S'ensuit une seconde d'immobilité, le souffle court, avec Richard qui me regarde comme s'il y avait quelque chose à ajouter. Je lui souris et passe la main dans mes cheveux.

« Tu m'as l'air normale, m'assure-t-il.

— Évidemment. »

Il tend la main, ses doigts agrippent les pans de mon short et le font descendre doucement. Puis il s'agenouille et presse son visage contre mon ventre. Je baisse les yeux vers ses cheveux noirs, raides et en désordre, mais je ne les touche pas.

« On recommencera, lui dis-je, mais pas maintenant. Susan vient juste de sortir. Je l'entends parler au bébé. »

Je redescends les petites allées tortueuses toute seule, frottant mes doigts à la lavande et à la sauge violette. Mes cuisses me font mal. Les allées se croisent, serpentent entre les haies basses, si bien que l'on peut faire le tour du jardin de nombreuses fois sans jamais emprunter le même chemin. Voici un coin embroussaillé de buissons de mûres et de groseilles à maquereau. Les groseilles sont finies mais certaines mûres sont à point, plus grosses que des mûres sauvages, énormes, luisantes et déjà noires, même s'il est bien trop tôt pour ça. Le soleil hâte tout. J'en mange une poignée puis je m'assieds sur l'herbe drue, ce qui me met au même niveau que les ronces dont les extrémités cherchent à prendre racine. Je sors des trucs de mes poches : du papier à cigarettes, une blague à tabac, un petit paquet enveloppé dans du papier argent ainsi que des allumettes. Je colle les papiers à cigarettes ensemble, j'arrache un bout de carton au paquet et le roule, puis j'étale le tabac. J'ouvre le papier argent, prends une allumette et brûle légèrement un coin de la résine brune que j'émiette ensuite sur le tabac. Pour finir je roule le joint et tortille le bout. J'attends un bon moment avant de le fumer. J'ai envie de dessiner le bout de ces ronces qui s'arc-boutent et plongent vers une terre tellement dure qu'ils ne pourront jamais s'enraciner. J'entends des voix au loin que je ne reconnais pas. Je ferme les yeux, assise en tailleur, bouillonnante sous une petite tente de chaleur.

Je n'arrive pas à m'ôter la poupée d'Isabel de la tête. Oui, je lui avais coupé les cils en pensant qu'ils repousseraient. Je me souviens encore de leur crissement entre les lames des ciseaux. Je n'arrêtais pas de regretter d'avoir appelé ma poupée Mandy et non pas Rosina. Un jour je me suis mise à l'appeler Amelia, mais Isabel n'était absolument pas d'accord.

« Tu ne peux plus changer son nom maintenant. Qu'est-ce que tu dirais, toi, si on se mettait à t'appeler Lynn au lieu de Nina ? »

Lynn habitait trois maisons plus loin, c'était mon ennemie jurée. Je savais qu'Isabel ne plaisantait pas et que si je tenais bon pour Amélia elle me rebaptiserait aussi sec.

« Je propose un baptême », a lancé Isabel.

Nous n'en avions jamais vu. Le dimanche, on s'asseyait sur le mur, pieds nus, pour narguer les garçons et les filles bien soignés qui passaient devant nous en chemin vers l'église. Une fois, Isabel m'avait même emmenée à un cours de catéchisme méthodiste. Elle avait expliqué à la dame que je m'intéressais beaucoup à Jésus, mais que notre papa et notre maman refusaient de satisfaire ma curiosité. C'est passé comme une lettre à la poste et je me suis retrouvée à colorier un âne pendant qu'Isabel gagnait un prix pour avoir raconté un épisode de la Bible avec ses mots à elle. Sauf que le prix en question n'était qu'un vulgaire paquet de bonbons.

« Je suis désolée, a dit Isabel, mais notre maman nous interdit de manger des sucreries à cause de nos dents. » Et elle m'a arrachée à la moquette marron où je m'attaquais à la queue de l'âne que j'avais gardée pour la fin.

« Quelles conneries ! » s'est-elle exclamée pendant que nous remontions la colline en sautillant.

Le baptême qu'elle avait organisé était beaucoup mieux que le catéchisme. Nous avions ramassé toutes les fleurs que nous avions pu trouver, des ibérides, des soucis et des marguerites qui poussaient dans notre jardin chaud et sec. Isabel avait rempli la bassine d'eau et étalé une nappe sur l'herbe. Une autre nappe devait entourer les épaules du prêtre. Je voyais bien qu'elle était tiraillée entre les deux rôles, celui de la mère et celui du prêtre, mais elle a trouvé la solution en poussant Rosina et Mandy dans leur landau « jusqu'à la porte de l'église » puis en s'enveloppant rapidement dans ses atours pendant que je prenais le rôle de la mère et serrais les poupées contre moi. Elle a murmuré des mots que je ne parvenais pas à entendre et répandu les fleurs sur le visage des poupées tourné vers le ciel. Puis elle a attrapé Rosina et l'a plongée dans l'eau. Une seconde plus tard la poupée refaisait surface, de l'eau roulant sur sa peau en plastique.

« Bien, en voilà une de faite », a dit Isabel de sa voix normale. Puis elle a pris Mandy et lui a fait subir le même sort qu'à Rosina sauf que, contrairement à elle, Mandy n'est pas remontée. Des bulles d'air s'échappaient de ses boucles trempées.

« Oh mon Dieu, a dit Isabel, j'ai bien peur qu'elle soit restée coincée. Ne vous inquiétez pas, mère, je vais la sortir. »

Mais je voyais ses bras tendus qui poussaient Mandy vers le fond. « Je crois qu'elle veut pas remonter, a-t-elle dit.

— Sors-la ! Sors-la ! » ai-je crié.

Isabel a grogné, tirant et poussant en même temps. Soudain, Mandy a jailli de la bassine, dans une gerbe d'eau, pour atterrir sur l'herbe desséchée où elle est demeurée étendue, trempée, visage contre terre. Isabel s'est précipitée vers elle et s'est agenouillée, sa nappe-étole me cachant la poupée. J'étais clouée sur place. Lentement, Isabel s'est retournée. Son visage était mouillé de vraies larmes.

« Je suis désolée, mère, je suis vraiment désolée. Votre petit bébé s'est noyé. »

J'ai fermé les yeux pour ne pas voir ce qu'Isabel tenait, puis je me suis mise à crier sans pouvoir m'arrêter. Mes hurlements résonnaient dans ma tête, rouges comme le soleil à travers mes paupières fermées. Tant que je continuerais de crier il ne pourrait rien arriver d'autre. J'ai entendu une fenêtre claquer. Puis Isabel m'a attrapée par les épaules et m'a secouée en s'exclamant : « Elle va bien ! Regarde, elle est assise ! C'est un miracle ! »

Mais je n'arrivais pas à m'arrêter de hurler alors que j'avais ouvert les yeux et vu Mandy assise très droite sur l'herbe, les yeux dans le vide. Notre mère est sortie par la porte de derrière en essuyant ses mains pleines d'argile. Isabel s'est précipitée vers elle.

« Nina pleure parce que Mandy est tombée dans la bassine, elle croit qu'elle est morte. J'arrête pas de lui dire que c'est pas vrai mais elle écoute pas. »

Ma mère s'est agenouillée sur l'herbe à côté de moi, elle m'a passé un bras autour des épaules et j'ai arrêté de crier.

« Isabel, donne-moi Mandy. »

Ma mère a pris la poupée, l'a placée sur le ventre et lui a tapoté le dos. « C'est pour lui enlever l'eau des poumons. Maintenant je vais la retourner et lui faire du bouche-à-bouche. Regarde. »

Ma mère a posé les lèvres sur le visage de Mandy. Lentement, gentiment, elle lui a soufflé dans la bouche. Elle s'est détournée, a inspiré puis soufflé de nouveau. Au bout d'un moment elle s'est arrêtée et a dit : « Voilà. Ça marche. Ses couleurs reviennent. Elle a juste eu un choc, Nina. Elle ne s'était pas vraiment noyée. »

J'ai pris Mandy des mains de ma mère. Elle était redevenue douce au toucher, chaude aussi, à cause de la peau de ma mère. Et ses yeux souriants me regardaient.

« Elle va bien maintenant, a ajouté ma mère. Jette-moi le reste de cette eau, Isabel. »

Isabel a jeté l'eau qui a étincelé sur la terre sèche avant d'être absorbée. Je l'ai regardée en berçant Mandy, et ma mère est retournée à l'intérieur.

C'était combien de temps après la mort de Colin ? Deux mois peut-être.

Je tire un peu sur le joint, pas beaucoup. Le bébé pleure et j'entends le gémissement d'une voiture qui monte le chemin en première, suivi du crissement des pneus. Je vois des bouts du corps de Richard en flash-back rapides et fragmentés. Et je me revois aussi, mes mains qui enlèvent mes vêtements puis se courbent par terre. Je me sens comme quelqu'un qui court de plus en plus vite mais qui reprend toujours son souffle.

13

Margery Wilkinson est assise dans la cuisine et elle tient le bébé pendant que Susan prépare le café. Ses yeux vifs et inquisiteurs sont posés sur moi ; je me demande ce que Susan a bien pu lui raconter. Elle tient le bébé d'une main experte, même moi je m'en rends compte. Elle a enroulé son nid d'ange en coton d'une autre façon et l'a serré comme un lange. On pourrait craindre qu'il ait trop chaud et pourtant il a l'air beaucoup plus à l'aise avec elle qu'avec aucun de nous. Il est tout à fait réveillé et la dévisage de ses grands yeux marine.

« Complètement réveillé et il ne pleure pas, dis-je, c'est un miracle !

— C'est juste un coup à prendre, répond Margery, n'oubliez pas que j'en ai eu quatre. »

On ne le dirait pas, à la voir. Elle est blonde comme Susan, mais c'est une blondeur coûteuse qui doit être ravivée environ toutes les trois semaines. Elle porte toujours beaucoup de bijoux en or ; elle a même confié à Isabel qu'elle les collectionnait. Elle lui a plus ou moins promis de les lui montrer, encore qu'il faille évidemment faire attention de nos jours, à cause des assurances.

Margery surveille aussi sa ligne et elle a encore belle allure dans son jean et son chemisier blanc.

« Je n'ai pas vu votre sœur, me dit-elle sur un ton

légèrement accusateur. D'après Susan, elle serait partie se coucher.

— Il lui faut beaucoup de repos.

— Apparemment elle a passé une bonne partie de la matinée à jouer aux cartes avec un certain Edward. Je n'appelle pas ça se reposer.

— Oh, mais c'est plutôt bon signe, ça prouve qu'elle devait se sentir mieux.

— Susan me racontait que vous avez fait la fête ici hier soir. Je ne savais pas que vous étiez aussi bonne cuisinière, Nina. Il faudra que vous me donniez de nouvelles idées. Je me fatigue de ma propre cuisine, pas vous ? Mais bon, c'est différent quand on n'a pas de famille. J'ai le barbecue des Jeunes Fermiers à préparer la semaine prochaine et mes garçons feront un scandale si ce n'est pas meilleur que l'an dernier. Susan va m'aider bien sûr, mais vous n'imaginez pas tout ce qu'ils peuvent avaler. Oh, ce bébé a faim, regardez-le. »

Il suce son chemisier, avec des miaulements. « Il veut son biberon, dit Margery en regardant durement Susan.

— Maman, il est au sein. »

Le ton de sa voix laisse clairement entendre que le sujet a déjà été évoqué.

« Oh, je sais que c'est très à la mode ces jours-ci. Mais je peux t'assurer, Susan, que lorsque tu en auras trois en bas âge comme ça a été mon cas, tu béniras le biberon. Au moins comme ça tu vois ce qu'ils avalent. J'aurais dû prendre des actions chez Nestlé, tiens.

— Il se porte comme un charme. L'infirmière l'a pesé et il a pris deux cent cinquante grammes.

— Tu peux le peser autant que tu voudras, moi il m'a l'air d'avoir faim et je sais de quoi je parle. » Ses bagues scintillent tandis qu'elle installe le bébé au creux de son autre bras. « Donne-lui ton doigt à sucer, maman, ça le calmera.

— Et vous, Nina, qu'est-ce que vous en pensez ? Ça ne vous paraît pas bizarre que votre sœur allaite alors qu'elle vient d'avoir une hystérectomie ? Comment est-ce qu'elle va reprendre des forces ?

— C'est elle qui l'a voulu.

— Comment peut-elle savoir ce qu'elle veut ? On ne sait plus où on en est après un premier bébé. Et avec une grosse opération par-dessus le marché, ce n'est pas surprenant qu'elle soit dans cet état-là. »

Dans cet état-là. Qu'est-ce que Susan a été lui raconter ? « Et je ne parle pas seulement du physique. Il faut aussi faire attention à la dépression post-natale. » Elle me suit du regard pendant que je fais le tour de la cuisine. « Elle a de la chance d'avoir sa sœur auprès d'elle. Moi je n'avais que la mère de Geoffrey et ce n'était pas vraiment un cadeau, vous pouvez me croire. Il y a des gens qu'on souhaite avoir à son côté quand on n'est pas vraiment dans son assiette, mais elle n'en faisait pas partie. C'est qui, cet Edward ?

— Oh, c'est un vieil ami d'Isabel. Tu l'as sûrement déjà vu, maman, il vient souvent.

— Je *vois.* »

Je croise le regard de Susan par-dessus la tête de sa mère et elle m'adresse un petit clin d'œil furtif bien plus éloquent que toutes les paroles qu'elle a jamais prononcées devant moi.

« Et voici Richard de retour de contrées lointaines ! lance Margery en se retournant et en croisant les jambes. Vous étiez où cette fois-ci ?

— En Corée. »

Il se glisse avec aisance dans une chaise près d'elle.

« Tu veux du café, Richard ? dis-je en décrochant d'autres tasses.

— Oui, pourquoi pas ?

— Cet avion a dû passer au-dessus de nos têtes une bonne dizaine de fois hier. Ça ne vous rend pas fous ? demande Margery en faisant fondre de l'édulcorant dans son café noir. Il vole si lentement que je me demande comment il reste en l'air.

— J'ai entendu dire qu'ils allaient fermer, dit Susan.

— Quoi, le Monde Magique de Damiano ? Jamais de la vie ! C'est une affaire qui tourne depuis tes six ans. On t'y avait emmenée pour ton anniversaire, moins d'un mois après l'ouverture, tu ne te souviens pas ?

— Je serais curieux de savoir si on a déjà fait une étude sur l'efficacité de la publicité aérienne, dit Richard.

— N'allez pas leur donner des idées, rétorque Margery. On a déjà deux prétendues universités dans le coin au lieu d'une seule, et la moitié du globe qui étudie l'autre moitié. Je suis drôlement contente que Susan ait fait un choix sensé. Le monde lui appartient, hein, Susan ?

— Oui, répond celle-ci.

— J'adorerais visiter le Monde Magique de Damiano, dis-je.

— On pourrait y aller tous ensemble, quand Isabel ira mieux. Et on mettra un point d'honneur à leur dire qu'on est venus uniquement à cause de l'avion.

— Ça lui ferait sûrement du bien de sortir un peu plus, dit Margery d'un ton plein de sous-entendus qui ne me plaît pas. Richard, c'est vous qui devriez lui parler. Ce bébé meurt de faim. Regardez comme il ronge mon bras avec ses petites gencives, et Susan qui n'a même pas pensé à acheter une boîte de lait, encore moins un biberon.

— Isabel ne veut pas qu'on lui en donne, rétorque Richard.

— Qu'est-ce qu'elle en saura, si Susan lui donne un petit biberon quand il a faim ? » Les yeux de Margery brillent. « Tu pourrais toujours le lui dire plus tard, quand elle ira mieux. »

Je me baisse et pose mes mains maladroites autour

du bébé. « Je vais le prendre. » Je le soulève avec précaution et l'enlève à Margery, mais pas trop délicatement tout de même. J'ai remarqué que la fermeté avec laquelle elle l'avait attrapé semblait lui plaire. Je le cale dans le creux de mon bras et le promène d'un bout à l'autre de la pièce. Il ne pleure pas. Son regard me fixe sans paraître me voir tout à fait, et puis soudain ses paupières tombent et ses yeux se ferment instantanément. « Voilà, dis-je, il dort. Il devait être fatigué. » Je relève la tête et je vois Richard qui me regarde, ses yeux suivant les contours de mon corps comme pour le comparer à un schéma qu'il aurait dans la tête. Je réfléchis en vitesse. Je porte toujours le short qu'il a baissé. Je voile mes pensées afin que les yeux ronds et vifs de Margery ne les voient pas.

« Vous devriez le coucher, maintenant qu'il est endormi, suggère Susan. Il ne faudrait pas qu'il s'habitue à être pris dans les bras à tout bout de champ.

— Ah ça non, dit Richard, sinon il aura de sacrés problèmes quand il sera plus grand. Emmène-le, Nina, je vais t'ouvrir les portes.

— Vous pouvez le mettre dans le couffin qui est dans ma chambre, suggère Susan, comme ça vous ne réveillerez pas Isabel.

— D'accord. » Richard me tient la porte de la cuisine et je passe sous son bras en tenant le bébé. Au même instant je me rends compte que c'est son fils que je porte. L'enfant de Richard. J'ai toujours pensé qu'il était à Isabel seule. Je me retourne pour lui jeter un coup d'œil mais je croise le regard de Margery qui nous suit tous les trois, Richard, le bébé, et moi. Elle ne sait rien. Elle laisse juste son instinct jouer avec nous pour voir ce qui va en sortir. Elle ne se rend probablement même pas compte de ce qu'elle fait. Ce sont les gens comme elle dont il faut se méfier. Richard et moi avançons prudemment jusqu'en haut de l'escalier, comme si les yeux de Margery étaient toujours posés sur nous.

« Je me débrouillerai avec la porte de Susan. Tu ferais mieux de redescendre maintenant.

— Tu ne sais pas comment brancher le babyphone. »

Il entre derrière moi. La chambre de Susan est de l'autre côté de la salle de bains ; elle est mal agencée et un angle du couloir lui enlève un quart de son espace. Il y a un petit lit en pin, une commode avec une télé dessus, une table et une chaise installées face au jardin. Parfois, le bébé dort là, pour qu'Isabel ne soit pas dérangée. Il y a un couffin par terre et un nécessaire pour le changer sur une table roulante, avec un mobile composé d'animaux sauvages qui pend au-dessus. Tous les meubles sont neufs et complètement différents des autres meubles de la maison. Sur le lit, il y a un ours en peluche, ainsi qu'une pile de magazines. Je pose le bébé sur le côté et défais le nid d'ange. Replié sur lui-même il dort profondément et ne bouge pas quand je l'installe. Puis je me redresse.

« Voilà. On ferait mieux de redescendre. »

Richard tend la main mais je fais un pas en arrière.

« Pas dans la maison.

— Je voulais juste te toucher.

— Je retourne dans la cuisine. Quand Margery sera partie j'irai sous le cerisier derrière le tas de compost. C'est chouette là-bas. »

Son visage a l'air dur, lourd et fatigué. Il jette un regard rapide au bébé puis à moi. « Tu en as vraiment envie ?

— Bien sûr. »

Dans la cuisine, Margery et Susan se versent une seconde tasse de café.

« Il est couché.

— Tant mieux, dit Susan. Maintenant il devrait dormir jusqu'à midi.

— Votre sœur va bien se reposer, ajoute Margery en prenant son café qu'elle boit en me regardant. Nina, je dois dire que vous avez l'air en *pleine* forme, je ne crois pas vous avoir jamais vue aussi rayonnante. Quoique je ne vous aurais pas crue du genre à porter des shorts.

— C'est pratique, avec ce temps, et puis on peut s'habiller comme on veut par ici, non ? » Je me rends compte qu'elle ne peut pas s'empêcher de regarder son chemisier blanc amidonné. Sa bouche s'ouvre légèrement, comme si elle voulait m'en donner le prix et m'expliquer que c'est très difficile à repasser. Mais au lieu de cela elle croise de nouveau les jambes et dit : « Je suppose que pour vous, c'est un peu comme des vacances. »

Le joint m'a donné faim, et il y a des gâteaux aux amandes dans la boîte à biscuits au-dessus de la tête de Margery, à moins qu'Edward ne les ait déjà trouvés. Je tends le bras, me penche au-dessus d'elle et descends la boîte qui est légère, trop légère. Je l'ouvre : il ne reste plus qu'un seul gâteau, sans la cerise confite.

« J'allais vous en offrir, dis-je, mais il n'en reste qu'un. Oh mon Dieu, et il est moisi. Tant pis, je vais le finir. »

Le gâteau est délicieux, artificiellement spongieux et sucré. Je l'avale rapidement et dépose la boîte dans l'évier.

« Eh bien, c'est le moment d'aller travailler.

— Vous allez dessiner, Nina ? interroge Susan.

— J'adorerais voir vos dessins, dit Margery. Susan m'en a beaucoup parlé. Je vous croyais photographe, mais en fait, vous êtes aussi une artiste.

— Je vais dessiner dans le jardin, dis-je.

— Ça vous dérange si on regarde ? demande Susan dont le visage rosit un peu plus.

— Oui, plutôt. » J'arrache une banane de son régime et je souris à Margery.

« Au revoir. J'imagine que je ne serai plus là à votre prochaine visite.

— On ne sait jamais », répond-elle. Je suis sûre que c'est une façon de parler mais on dirait qu'elle a l'intention de rester assise là indéfiniment, de regarder ce que nous faisons et d'amasser des preuves.

Richard est déjà sous l'arbre.

« Nina...

— Si tu ouvres la bouche, ça ne va pas aller. »

L'envie de parler monte dans ses yeux puis retombe. Le cerisier est un endroit plus agréable que le banc, avec l'odeur fermentée de compost, l'ombre et la terre douce.

« Je dois d'abord faire pipi, dis-je.

— Tu pourrais aller derrière l'arbre. Je ne regarderai pas.

— Ou ici.

— Tu peux faire ça, toi ? Devant toi, moi je serais trop tendu. »

Il me regarde, les mains arrêtées dans leur élan alors qu'il s'apprêtait à défaire sa ceinture. Tout à coup il frissonne.

« Bon sang, Nina, tu devrais quand même faire gaffe.

— Je t'ai déjà dit de ne pas t'inquiéter.

— Non, je veux dire, il y a des types qui pourraient s'imaginer qu'ils ont tous les droits.

— Pas toi.

— Moi, je ne sais plus trop.

— Ça veut dire quoi, "tous les droits" ?

— Je peux te montrer si tu veux.

— Ben voyons. »

La terre au pied du cerisier est douce et chaude là où l'on a jeté l'herbe coupée. Je suis à plat ventre, comme un nageur meurtri qui a rampé lentement sur les galets à contre-courant. Je roule sur le dos et regarde droit vers le ciel, morcelé par les feuilles à grosses nervures du cerisier. Le ciel est blanc, les feuilles, noires. Il est près de midi, l'heure où les fantômes marchent, et vu la chaleur de cet été je comprends pourquoi. Quand je descends le chemin à midi, sans ombre et la tête rentrée dans les épaules pour me protéger du soleil, j'ai l'impression de m'amenuiser. C'est comme ça qu'un fantôme sait qu'il en est un, parce qu'il ne laisse pas de trace sur la terre où il marche.

Richard a fermé les yeux. Ses mains sont posées le long du corps, détendues, paumes ouvertes. Sa poitrine se soulève régulièrement au rythme de sa respiration, mais il a la bouche fermée, et je ne pense pas qu'il dorme. Il a l'air heureux, baisé à mort. J'aime son silence.

Je me souviens de l'enterrement de Colin. Son cercueil était tellement petit que mon père l'avait porté dans l'allée centrale de la petite église blanche comme il aurait porté un bébé. Ma mère m'avait dit que ça ne serait pas vraiment lui dans la boîte mais seulement son corps, dont il n'avait plus besoin. J'avais hoché la tête sans comprendre ce qu'elle voulait dire. Après mon bain ce soir-là, la veille de l'enterrement, je m'étais enroulée dans ma serviette derrière la porte de la salle de bains, reniflant ma propre odeur, me frottant le nez contre la chaleur de mes jambes et de mes bras. Isabel était assise sur le W.-C. près de la baignoire, et elle poussait. J'avais regardé son visage s'empourprer puis pâlir. J'avais essayé de nous imaginer, Isabel et moi, sans notre corps, mais je n'y étais pas arrivée.

J'ignore où se trouvait l'église, mais je sais que ce n'était pas à St. Ives. Il y avait beaucoup de monde mais pas d'autres enfants, et quand mon père s'est dirigé vers la porte avec le cercueil il y a eu un murmure, semblable à un bruissement de feuilles, au moment où les gens ont tourné la tête vers lui puis l'ont détournée. Ma mère aussi était là, à côté de lui, la tête baissée, vêtue d'une robe que je ne lui avais jamais vue. C'était important, parce que je reconnaissais toutes ses robes à l'odeur et au toucher. Ma préférée c'était la verte en velours avec la rose sur la hanche, mais elle ne la portait que dans les grandes occasions. C'est celle qu'elle aurait dû mettre ce jour-là, au lieu de cette chose noire et froissée qui sentait le neuf. Une fois tout le monde à l'intérieur on m'a soulevée pour m'asseoir sur une chaise avec d'autres gens qui devaient être des amis, mais je ne me souviens pas.

J'étais là, mais pas Isabel. C'est le seul souvenir important de mon enfance où elle ne figure pas. Elle était couchée. Pendant des semaines après la mort de Colin elle avait eu de terribles douleurs à l'estomac, tellement violentes que parfois elle ne pouvait plus respirer. Ma mère lui préparait des petits repas sur un plateau. Une fois, elle a eu deux délicates côtes d'agneau entourées d'une mare de sauce à la menthe. C'était de la nourriture coûteuse, pour les grands, mais Isabel l'avait dédaignée. J'ai vu le plateau sur la table de la cuisine, avec le gras blanc de l'agneau qui collait les côtes à l'assiette. Je crois que c'est à partir de ce moment-là qu'Isabel n'a plus mangé avec nous.

Richard s'est endormi à présent. Il a l'air plus âgé et son menton a plongé dans la chair en dessous. Nous avons un peu parlé, pas beaucoup. Il m'a demandé mon âge, il savait que j'étais plus jeune qu'Isabel mais il ne se souvenait plus de combien. Je lui ai répondu que j'avais vingt-neuf ans. « Et moi quarante-six, en plein dans la période décatie et ramollie. » Il a souri et j'ai remarqué beaucoup de plombages dans ses molaires.

Une feuille se détache du cerisier et tournoie avant de tomber sur lui. J'attends la suivante. La sécheresse attaque maintenant les arbres, après avoir roussi l'herbe et les buissons. Les arbres survivent en donnant l'impression de mourir : ils perdent leurs feuilles pour se protéger et tirent ensuite toute leur sève vers le cœur. C'est comme un automne précoce, mais un automne étrange, avec le soleil qui enflamme des tas de feuilles brunes et craquantes.

Je me lève très doucement. Je n'ai pas d'ombre ici non plus puisque nous sommes déjà à l'abri du soleil, si bien qu'il ne passe rien sur le visage de Richard qui soit susceptible de le réveiller. Je ramasse mes vêtements, les secoue puis les enfile. Avec toutes ces feuilles tombées sur sa poitrine, on a l'impression que Richard est étendu là depuis un long moment. Peu importe qu'on le trouve seul ici, allongé par terre, nu. Les gens font de drôles de choses quand il fait chaud comme ça.

14

« Je me sens en pleine forme. » Isabel est levée, habillée, et elle est en train d'attacher sa sandale, assise sur le lit. Elle a enfilé une robe d'un vert très pâle et remonté ses cheveux sur le haut de la tête où elle les a fixés avec un peigne. Elle a l'air détendue et heureuse.

« J'ai dormi toute la nuit, puis je me suis réveillée tôt et j'ai joué au piquet avec Edward ; ensuite j'ai dormi encore deux bonnes heures, au moins. Je me sens une nouvelle femme !

— Le bébé dort dans la chambre de Susan.

— Je me suis dit que je le sortirais après déjeuner. » Isabel lève vers moi son long regard clair. Elle a les yeux bleus d'une blonde mais dans son visage doré ils font un drôle d'effet déstabilisant, comme si leur clarté était en partie factice.

« Mais tu n'as pas de landau !

— Je l'emmènerai dans le sac kangourou, comme Susan. Edward va m'accompagner.

— Tu vas aller où ?

— Nulle part. Faire le tour du jardin, peut-être longer un peu le chemin. » Ses yeux s'élargissent. Son visage est tellement calme que si on ne la connaissait pas il serait impossible de deviner à quel point elle a peur. Elle se sent mieux et elle va se mettre à l'épreuve, comme elle a dû le faire l'autre matin quand elle est rentrée avec ses chaussures trempées. J'espère qu'Edward est conscient de ce qui se trame.

« Tu es sûre d'être prête à sortir ? dis-je l'air de rien, comme si je m'inquiétais seulement à cause de l'opération qu'elle a subie.

— Je suis supposée marcher. Je réfléchissais — et tu ne vas pas me croire, Neen, parce que tu sais comment je suis avec le jardin —, mais je me suis rendu compte que je n'y étais pas allée depuis qu'il est né. »

Isabel est une excellente actrice. Elle imite parfaitement la surprise que toute personne éprouverait en se rendant compte qu'elle est restée enfermée des journées durant.

« Tu as subi une grosse opération, lui dis-je, ça n'a rien d'étonnant. »

Elle me regarde, l'air reconnaissant. « Je sais. Je n'arrête pas d'oublier et de me dire que je devrais m'activer davantage.

— Tu ne dois pas te forcer non plus. » Je veux qu'Isabel aille bien, qu'elle soit heureuse et libre d'aller où bon lui semble. Et je veux l'empêcher d'aller dans le jardin qui est en passe de devenir *mon* territoire.

« Moi je pense que si », répond-elle tranquillement. Ses mains sont posées à plat sur le lit, de chaque côté, prêtes à la propulser en avant. Elle bouge encore avec précaution, par crainte de réveiller la douleur.

« Le bébé, dis-je soudain. Je viens juste de faire le lien. Je savais qu'il me rappelait quelqu'un.

— Qui ?

— Colin.

— Quoi ? » Le visage d'Isabel se fige, puis sa bouche s'ouvre toute seule et, l'espace d'une seconde, elle ne semble plus belle du tout. Un bref instant, j'ai terriblement peur qu'elle ne demande : *Mais qui est Colin ?* Elle passe sa langue sur ses lèvres. « Colin ? Tu crois vraiment ?

— Ça me travaille depuis que je l'ai vu la première

fois. Je trouvais qu'il ressemblait à papa, ce qui est vrai, mais bon, Colin aussi lui ressemblait. C'est ce que tout le monde disait en tout cas.

— Je ne me souviens pas de son visage.

— Pourtant tu devrais. Tu étais plus vieille que moi, et moi je me souviens de lui.

— Non, je n'ai jamais pu. Si je ferme les yeux et que j'essaie de voir son visage, tout ce que je distingue c'est une sorte de... » Elle s'arrête et ferme les yeux. « De rond.

— Moi je m'en souviens très bien. » Je fronce les sourcils, doutant de moi à présent. « Du moins il me semble. Il était grand et blond. Mais je suppose qu'il a pu me sembler grand parce que j'étais petite. Sa tête dodelinait.

— Je n'ai pas envie qu'on en parle, Neen.

— Je suis désolée, Isabel, je ne voulais pas...

— Tu oublies, dit-elle sèchement, avec colère, que moi aussi j'ai un bébé maintenant. Bien sûr que la mort subite du nourrisson m'inquiète. C'est normal, surtout après ce qui est arrivé à Colin. Tu crois que je n'ai pas songé que ça pouvait lui arriver à lui aussi ? J'y pense chaque soir quand je le couche.

— Ce n'est pas ce que je voulais dire. » Un sentiment s'agite en moi, comme quelque chose qui prend vie, mais je ne sais si je peux l'expliquer à Isabel. « Je ne pensais pas à une chose triste. Il ne va pas mourir comme Colin, je sais bien que non. Je me disais seulement que Colin n'avait pas vraiment disparu, pas complètement. Tu te souviens, à l'époque, on aurait dit qu'il s'était tout bonnement envolé. On avait regardé dans sa chambre : le berceau et tout le reste s'étaient volatilisés. Et maman qui n'a plus jamais été heureuse après. Tout ça paraissait totalement inutile. » Ce n'est qu'à ce moment-là, tandis que je prononce ces mots, que je reconnais que ma mère n'a plus jamais été heureuse après la mort de Colin. Elle travaillait, s'occupait de nous, souriait, avait des amis, mais sa gaieté avait disparu. J'avais toujours refusé de l'admettre. Je m'asseyais sur ses genoux plus que jamais, je jouais avec son long collier d'ambre et chauffais les perles dans ma main, chantant et fredonnant comme la joyeuse petite fille que j'étais.

« C'était inutile, dit Isabel. Je ne comprends pas pourquoi tu as envie d'en parler. »

Sa certitude met le doigt sur cette chose qui s'agite en moi et que je ne parviens pas vraiment à exprimer. Peut-être que moi aussi, je ne me souviens que d'un rond. Mais je ne crois pas. Je n'oublie pas facilement ce que j'ai vu, une fois que je l'ai vraiment regardé. Je me souviens d'un visage de bébé, tourné de côté dans un berceau.

J'étais entrée seule sur la pointe des pieds, me sentant coupable parce que Isabel ne jouait jamais avec Colin et que je voulais toujours l'imiter. En même temps j'avais envie de le voir. Il était réveillé, mais il ne pleurait pas et regardait furtivement, entre les barreaux du berceau, une lumière dansante sur le mur d'en face. Quand nous étions petites il y avait tellement de lumière en provenance de la mer que même lorsqu'il faisait gris ça me picotait les yeux. Le bébé avait bougé la tête en m'entendant entrer, puis il m'avait adressé un grand sourire qui avait découvert ses gencives. Je l'avais scruté à travers les barreaux. Ses bras et ses jambes s'agitaient comme des algues dans ces mares au milieu des rochers. Il pouvait tourner la tête, mais pas rouler sur le côté. Il flottait autour du berceau une odeur spéciale, une odeur de bébé. Il donnait des petits coups à une rangée de bobines de fil que ma mère avait accrochées en travers du berceau mais il n'arrivait pas à les attraper. Ses deux jambes avaient frappé l'air et il s'était tourné vers moi ; puis il m'avait souri de nouveau. Sa tête était posée sur un carré de mousseline que ma mère mettait plus tard sur son épaule. Ses cheveux se hérissaient en plumes mouillées de sueur. Je suis restée plantée là un bon moment puis je suis repartie.

Edward ouvre la porte sans frapper. « Il est réveillé, Isabel. Susan est en train de le changer, si tu lui donnes le sein on peut partir juste après. » Il tient le sac kangourou à la main.

« D'accord, je dois juste..., lance Isabel qui sort précipitamment de la chambre.

— Elle a une mine atroce, remarque Edward en la suivant du regard. Qu'est-ce qui s'est passé ? Elle allait très bien quand elle s'est réveillée. » Il laisse tomber sur le lit le sac kangourou, boule de rayures couleur pastel. Puis il se tourne vers moi, avec une pointe de réelle aversion dans la voix. « Qu'est-ce que tu as encore été lui raconter ?

— Rien.

— Tu crois que je ne remarque rien, hein, Nina ?

— Tu m'as l'air égocentrique.

— Pas quand il s'agit d'Isabel.

— Seigneur, Edward, c'est quoi, ces salades ? On pourrait croire que tu es amoureux d'elle si on ne te connaissait pas.

— Mais je l'aime, oui. Et toi qui te crois tellement libérée, Nina. Pourtant, tout ce que tu vois quand tu me regardes c'est "Edward, l'ami homosexuel d'Isabel". Curieux que tu n'arrives pas à dépasser ça.

— C'est plutôt par manque de motivation.

— Tu ne t'intéresses pas vraiment à Isabel, si ? Je te trouve franchement garce, Nina, mais puisqu'elle ne s'en rend pas compte je garderai mes réflexions pour moi. »

Je ne suis pas douée avec les gens qui ne m'aiment pas.

Une partie de moi voudrait les y obliger, même si je sais que c'est impossible et que de toute façon je ne les aime pas non plus. J'ai toujours trouvé insupportable de penser à cette affection manifestée à Isabel et aux visages vides tournés vers moi. Mais maintenant je me bats. Je peux être dure et froide.

« Tu ferais mieux, dis-je. Isabel est ma sœur. Nous partageons un passé dont tu ignores tout et que tu ne pourrais même pas comprendre.

— J'espère que c'est tout ce que vous partagez », lance Edward.

Les mots scintillent, tellement à double tranchant qu'ils coupent où qu'on les touche.

Par la fenêtre d'Isabel je les regarde marcher dans les allées. C'est Edward qui porte le sac kangourou, trop lourd pour Isabel. Ils ont l'air petits et heureux, arpentant lentement la pelouse, se penchant pour regarder des choses trop minuscules pour que je les voie, disparaissant au tournant des allées, entre les buissons, puis réapparaissant ensuite. A un moment, j'entends Isabel rire. Au-delà du mur, les prés sont délavés, avec une cicatrice verte en diagonale qui traverse l'un d'eux à l'emplacement probable d'une nappe souterraine. Je me déplace vers l'angle de la fenêtre, là où je peux voir sans être vue, et juste à ce moment Isabel et Edward sortent de derrière les arbres pour se diriger vers la maison. Il s'arrête et remonte le sac d'une secousse pour l'ajuster, mais le fermoir est dans le dos. Isabel se plante derrière lui et fixe la lanière tandis qu'il fléchit les genoux pour lui faciliter la tâche. Quand elle a fini, ils font tous deux volte-face afin de regarder le jardin. Ils me tournent le dos et protègent leurs yeux contre l'éclat du soleil de midi. Au dos de la robe vert pâle d'Isabel, entre ses omoplates, il y a une tache sombre de sueur.

15

La mer était là tout le temps. Je me réveillais au milieu de la nuit et je l'écoutais jusqu'à ce qu'elle me ramène vers le sommeil. Quand nous avons été plus grandes, Isabel et moi sommes parties dormir au grenier qui couvrait toute la surface de notre étroite maison mitoyenne, et chacune avait son lit en dessous d'une lucarne. Nous avions une vue sur Porthmeor Beach, l'île et le sillage luisant que les bateaux de pêche du port laissaient sur la mer en se dirigeant vers l'ouest. Les nuits d'hiver, des tempêtes cognaient contre le mur près de mon oreille et notre maison frissonnait sous l'effet du vent. Si la tempête éclatait dans la journée, Isabel et moi sortions avec nos cirés et nos chapeaux jaunes pour regarder la mer bouillonner et l'écume exploser au pied des falaises.

La mer s'immisçait partout. Nos sandales d'école en cuir étaient déjà blanches de sel au bout d'une semaine. Et leurs coutures pourrissaient bien avant qu'elles soient devenues trop petites. Il y avait du sable sur la moquette et dans l'herbe. Chaque année ma mère repeignait sommairement tous les châssis de fenêtre qu'elle pouvait atteindre afin que la mer ne mange pas le bois. Le vent et le sel abîmaient la peinture et couvraient les fenêtres d'écume. Nos cheveux étaient collants et tellement emmêlés par le vent qu'on n'arrivait pas à les peigner. Chaque été une mèche sur mon front blanchissait. En hiver il y avait d'épaisses brumes blanches qui s'accrochaient à nous comme des toiles d'araignées et le mugissement d'une corne de brume ; puis l'air recommençait à circuler et les masses noires des rochers glissaient hors du silence. Lorsque le brouillard était lourd je gardais la bouche fermée de crainte qu'il ne pénètre dans ma gorge et ne m'étouffe. Alors que, légèrement hors de vue, Isabel me précédait en dansant et mettait le brouillard au défi de l'avaler. Notre père avait une comptine pour elle :

Isabel, Isabel, a rencontré un ours ;
Isabel, Isabel, l'a trouvé balourd...

Je croyais qu'il l'avait inventée à son intention et j'avais été surprise de la trouver dans un livre des années plus tard, avec le nom de quelqu'un d'autre en dessous.

Il était souvent parti. Il était poète, mais pas le poète qu'il aurait voulu être. C'était un très bon critique et il ne pouvait s'empêcher de l'être aussi avec son propre travail. J'essaie encore de lire ses poèmes de temps à autre. On trouve ses recueils chez des bouquinistes pour pas cher. C'est terrible à quel point le titre d'un ouvrage peut pâlir. Il écrivait des poèmes sur nous mais il ne nous voyait pas beaucoup. Il devait séjourner fréquemment à Londres où il rédigeait ses comptes rendus et articles critiques. St. Ives était la ville de ma mère. En n'y étant pas trop souvent je suppose que ça lui évitait de voir à quel point elle était meilleure potière qu'il n'était poète, même si je ne pense pas qu'il ait été du genre à se voiler la face.

Il était bel homme, notre père, et plus jeune que ma mère de cinq ans. Il avait les cheveux clairs et les mêmes yeux qu'Isabel, la même peau mordorée, devenue ridée lorsque j'ai été à même de m'en rendre compte. D'un certain côté ma mère avait eu de la chance de lui mettre le grappin dessus. Il attirait les gens parce qu'il était drôle, et qu'il avait cette façon de vous faire sentir qu'avec vous il venait de découvrir une chose nouvelle et délicieuse. Surtout, il offrait l'image d'un homme perdu et chagriné que les autres percevaient sans trop savoir de quoi il s'agissait. Il semblait avoir besoin de vous. Ma mère, elle, ne semblait pas avoir besoin de grand monde. Sauf après la mort de Colin, où je l'ai entendue crier derrière une porte et où j'ai cru qu'elle m'appelait. J'ai entrouvert la porte. Il faisait sombre parce que les rideaux étaient tirés mais je devinais sa silhouette. Elle était étendue sur le ventre et serrait l'oreiller contre elle. Sa tête cognait d'un côté puis de l'autre. Assis sur le lit mon père fumait une cigarette et il a sûrement dû me voir puisque la lumière a changé lorsque j'ai ouvert la porte. Ma mère n'a rien remarqué. Il s'est contenté de lever les yeux, il a secoué légèrement la tête, et je suis ressortie.

Un peu plus tard elle est partie quelque temps. Mon père s'est occupé de nous tout seul ; dans mon souvenir, c'est la seule fois où il l'ait fait. Nous avons adoré chaque minute. Un poids s'était envolé de la maison et, bien qu'Isabel eût toujours des maux d'estomac et qu'elle eût peu mangé, elle semblait beaucoup plus gaie après le départ de notre mère. Il ne cuisinait pas du tout. Le matin nous avions des corn flakes, au déjeuner nous avions de l'argent pour acheter du poisson et des frites, et le soir il nous emmenait au restaurant. Il devait bien gagner à ce moment-là, parce qu'il semblait y avoir de l'argent pour les sorties et les vrais achats. Mais parfois on avait juste le strict nécessaire, qu'Isabel et moi allions chercher chaque jour chez l'épicier du coin.

On sortait tard, parce que mon père détestait manger tôt. On prenait un steak-frites ou des spaghettis. Et Isabel mangeait avec nous. Le premier soir je l'ai regardée du coin de l'œil lorsque la serveuse a déposé devant elle l'assiette de spaghettis entortillés, avec la sauce fumante. Mais elle les a mangés, en les enroulant autour de sa fourchette d'un geste expert que je ne parvenais pas à imiter. J'en oubliais de vider ma propre assiette, coupée dans mon élan par son habileté.

Le lendemain soir la serveuse s'est penchée vers moi et nous a chuchoté : « J'ai quelque chose qui va vous plaire. » Et elle a sorti deux assiettes de derrière son dos. Sur chacune il y avait un nounours en chocolat, d'un brun luisant. Leur peau était recouverte d'un voile de froid.

« Dedans c'est de la glace », a expliqué la serveuse qui nous regardait en souriant. J'ai pris ma cuillère mais c'était trop beau pour être mangé.

« Allez-y. Sinon ça va fondre. »

J'ai tapoté le chocolat comme si c'était un œuf à la coque. De minuscules craquelures ont immédiatement éclaté sur le dessus, découvrant la glace blanche en dessous. J'ai regardé Isabel pour voir ce qu'elle faisait, mais elle n'avait pas touché au sien. Certes elle avait toujours su attendre, mais là, c'était différent. Ses mains étaient tombées sur ses cuisses et son visage était fermé. Elle refusait de manger.

« Ça ne te plaît pas ? » lui a demandé la serveuse. La contrariété et la déception s'entendaient dans sa voix.

« Je préférerais de la salade de fruits », a répondu Isabel d'une petite voix fluette. Sans un mot la serveuse a ramassé l'assiette avec le nounours en chocolat dessus et elle est sortie en trombe. J'ai enfoncé ma cuillère à l'intérieur du mien et j'ai commencé à le manger à toute vitesse, le goûtant à peine et espérant que j'aurais fini quand elle reviendrait.

La salade d'Isabel avait l'air acide. Notre père a adressé à la serveuse un de ses grands sourires doux. « Vous êtes fort aimable, mais je ne crois pas qu'elle ait très envie de manger en ce moment. Elle est encore sous le choc. »

Le visage de la serveuse s'est radouci et elle a hoché la tête, portant sur Isabel un regard complètement différent. « Bien sûr, l'autre est trop petite pour vivre les choses de la même manière », a-t-elle dit. J'ai continué de manger, le visage en feu, tandis que le nounours en chocolat que je chassais avec ma cuillère glissait dans l'assiette.

Une fois la serveuse repartie notre père a fredonné doucement dans sa barbe :

Isabel, Isabel, a rencontré un ours ;
Isabel, Isabel, l'a trouvé balourd...

J'adorais son visage quand il se plissait, pour rire ou se retenir de rire. Il semblait nous trouver drôles la plupart du temps, même quand nous n'essayions pas de l'être. Peu de temps après ça il m'a confié qu'il songeait à lancer un club de desserts et que je pourrais en faire partie si je voulais. La seule règle c'était que les membres devaient découvrir au moins quatre nouveaux desserts chaque année. Je ne voyais pas comment je pourrais puisque je n'avais pas d'argent de poche, mais il m'a promis de m'emmener un jour à Londres pour aller dans un endroit où on ne servait que ça. Puis quand je serais grande et que j'aurais appris à lire il m'achèterait un livre de desserts et je pourrais apprendre à les préparer.

« Il vaut mieux ne pas trop compter sur ta mère ou sur Isabel. Elles sont plutôt du genre salade de fruits toutes les deux. »

Mon père avait une maîtresse à Londres bien sûr, et qui n'était pas du genre salade de fruits. Je l'ai rencontrée par la suite ; elle s'appelait Amy Ludgate. Il l'a épousée après la mort de ma mère et ça a duré une année, avant qu'il ne meure à son tour. Ma mère savait qu'elle allait mourir parce qu'elle avait un cancer du sein depuis deux ans, mais pas mon père. Il est parti subitement, en rentrant après la soirée de lancement du nouveau recueil d'un autre écrivain : rupture d'anévrisme, une faiblesse ignorée de tous. Il n'avait pas fait de testament et ne laissait pas d'argent, mais Amy nous a offert ses manuscrits. Elle était sûre qu'ils vaudraient beaucoup d'argent un jour. Qui plus est nous étions ses filles et elle trouvait que nous y avions droit, quoi qu'en dise la loi. Elle était généreuse, Amy. Elle pouvait aimer les choses sans vouloir les posséder. Elle se battait sans cesse contre la négligence que mon père se refusait à combattre. Mais nous savions que personne ne s'intéresserait jamais à sa poésie comme elle et nous lui avions donc enjoint de les garder, ce qu'elle a fait jusqu'à ce jour. Il y a quelque temps j'ai reçu une lettre d'elle m'informant qu'elle avait rédigé son testament, et me donnant le nom de la bibliothèque universitaire choisie par ses soins pour le legs des manuscrits en question. J'espère seulement qu'ils les accepteront.

Il était déjà avec Amy au moment de la naissance de Colin. Le bébé était un accident, pas une tentative de réconciliation. J'ai découvert plus tard que mes parents ne couchaient déjà plus ensemble deux ans avant sa naissance. Mais mon père était descendu de Londres pendant quelques jours et ils étaient restés longtemps à table, après que nous étions parties nous coucher, pour y boire un vin rouge coûteux que mon père avait rapporté de France. Donc ils avaient fini au lit, puis Colin était né. Non, on ne peut pas dire ça comme ça. Ils n'étaient pas totalement soûls, m'avait certifié ma mère. Ils savaient encore ce qu'ils faisaient. C'était très important pour elle d'être précise sur ce genre de détails et de ne pas nous donner de fausses idées sur ce qui s'était passé entre eux. Je suppose que c'était une bonne chose, même si ça pouvait paraître un peu sordide. Colin est né, puis il est mort, et sa mort les avait plus rapprochés que ne l'avait fait sa vie, du moins pendant quelque temps.

Mon père avait écrit un poème qui a été lu à l'enterrement. Je n'en ai pas saisi un traître mot et ne comprenais pas davantage pourquoi il était soudainement debout devant l'autel pour le lire alors que nous n'étions pas à une lecture de poésie. Une chose curieuse faisait suite à une autre, comme ces drôles de poissons qu'il faut séparer de la bonne pêche et rejeter à la mer.

Je me rappelle encore le goût de ce nounours, froid, sucré et mou, avec les éclats de chocolat qui laissaient place à la douceur. En fait j'en sens mieux le goût aujourd'hui qu'à l'époque, quand je me dépêchais pour faire plaisir à la serveuse. Je nous revois tous : Isabel triturant un bout de pamplemousse en boîte avec son visage dans l'ombre et ses longs cheveux qui glissaient vers l'avant ; mon père fumant et papotant avec la serveuse par-dessus nos têtes ; et moi qui donnais des coups dans les pieds de la chaise en attendant que quelqu'un admire ma belle assiette propre.

Lorsque vos deux parents sont morts, de grands fragments du passé se détachent telles des falaises érodées. Je veux retrouver mon passé. J'ai besoin de lui maintenant, pour lui poser les questions dont je ne soupçonnais pas l'urgence. Mais c'est le néant. Le silence et la lueur de la mer là où jadis il y avait la terre. Certes, j'ai Isabel. Elle a fabriqué une version du passé que j'ai pris l'habitude d'accepter sans la remettre en question. Elle est tellement convaincante que ça ne me semble pas de la persuasion mais tout bonnement la vérité. Edward en est bien convaincu, lui. Les voilà, marchant côte à côte, encore plus lentement à présent, comme si la chaleur du soleil pesait sur eux. Non. Ce n'est pas ça. Quelque chose cloche. Isabel ne marche pas comme il faut. Je me penche en avant, soulève la fenêtre à guillotine au moment même où Edward lui attrape le bras, mais elle se détourne de lui, très lentement, son corps se referme puis tombe sur l'herbe. Il s'agenouille. Le bébé le gêne, le sac kangourou le handicape. Il n'arrive ni à s'approcher d'elle, ni à la soulever, ni à la relever. Il se tourne, cherchant de l'aide, et voit que je les regarde.

16

Isabel n'aurait jamais dû sortir. Le soleil de midi est plus brûlant qu'il ne l'a été ces deux dernières années. Les coccinelles pullulent et les mares argileuses se craquellent sous l'effet de la chaleur, vides. Les Downs sont de ce même jaune brunâtre que les flancs des lions. A cette heure-ci le vide du ciel et le martèlement du soleil sont effrayants. Puis le soir arrive, la lumière se liquéfie pour devenir jaune et Isabel, effondrée, est ailleurs.

C'est le soir à présent. 9 heures passées, la nuit tombe, et je suis dans le jardin. J'arrose les pommiers d'Isabel, seau après seau puisqu'il est interdit d'utiliser un tuyau. Je pense à elle et à la maladie. L'après-midi en a été rempli, entre la visite du médecin, celle de la sage-femme venue aux nouvelles, puis celle de l'infirmière qui l'a conseillée sur l'allaitement. Isabel veut arrêter de donner le sein. Ça la rend malade. L'infirmière lui assure qu'elle s'en sort très bien et qu'elle ne doit pas abandonner. « Vous croyez ? » s'enquiert Isabel, et elle ferme les yeux puis tourne ses épaules d'un brun soyeux à tout le monde. Plus tard elle demande à Richard d'aller faire un saut en ville pour acheter des biberons et du lait en poudre. Tout tourne autour d'Isabel. Comme toujours depuis qu'elle s'est étendue sur son lit de douleurs tandis que l'on enterrait notre frère.

J'en ai marre de tout ça, du lait, du sang, des bébés. Je charrie un autre seau le long de l'allée, et l'eau sombre frissonne à l'intérieur. Elle déborde sur mes pieds nus et une odeur monte de la poussière. Ces arbres n'auraient jamais dû être plantés pendant une sécheresse. Je soulève le seau et continue ma route ; toute ma peau me picote tellement je suis tendue. J'attends. Je laisse le seau plein à côté des arbres et m'aventure dans l'obscurité en direction des tiges de framboisier. De gros papillons de nuit volettent ici et là. Lorsqu'ils se posent, on distingue sur leurs ailes des taches blanches, comme des pièces de puzzle. La vie diurne touche à sa fin et voici que débute le manège nocturne. J'aimerais être en ville en ces heures où le jour et la nuit s'effleurent. J'aimerais être dans un taxi tournant à toute allure au coin des parcs, que le crépuscule fait passer du bleu au noir.

Il y a deux rangées de framboisiers, grands et épais. Certains ne donnent plus, d'autres ont encore des fruits. Je cherche les framboises à tâtons dans l'obscurité et les trouve ; leur chair mûre fond sur ma langue. J'entends des pas dans l'allée derrière moi mais continue de cueillir et prolonge ce moment où je ne me retourne pas.

Il fait beaucoup plus noir. Le jardin est en grande partie englouti par l'ombre mais des fleurs blanches luisent par endroits.

« Donne-m'en une », me demande Richard.

Je cueille une framboise et l'approche de ses lèvres. Il a déjà ouvert la bouche à moitié, il est prêt.

« J'aurais pu te filer n'importe quoi. Et si ça avait été de la belladone ?

— Tu ne me ferais pas ça.

— Qu'est-ce qui se passe ?

— Rien. Isabel dort. Elles ont couché le bébé dans son berceau parce que l'infirmière trouvait qu'il y dormirait mieux. »

Je m'éloigne le long de la rangée.

« Viens par ici.

— Je ramasse des framboises pour demain.

— Qu'est-ce que tu portes ? Je ne vois rien.

— Ma petite robe bleue.

— Je vais t'aider. »

Il me pousse par-derrière le long du passage creux et couvert d'herbe entre les tiges de framboisier. J'ai envie de courir mais je m'oblige à rester tranquille, cherchant sous les feuilles le léger velouté des fruits. Les framboises sont plus chaudes que les feuilles. Il touche mon bras mais je me dégage et continue.

« Nina.

— Oui. »

Il est derrière moi, ses mains courent le long de mes cuisses, sous ma robe. Je me penche en arrière contre lui, écartant les jambes, brûlante.

« Tu en veux une autre ? »

Il ouvre la bouche et j'y enfourne des framboises. Sa main glisse entre mes cuisses, cherchant l'ouverture de mon vagin. Il y glisse un doigt, puis deux. Ma joue se colle contre son bras. Il a troqué sa chemise blanche contre une chemise en jean et je sais pourquoi. Le blanc est trop voyant dans l'obscurité.

« Tu en as envie.

— Tu sais bien que oui.

— C'est pour ça que tu es venue ici.

— Bien sûr que oui. »

Il soupire et nous glissons à terre. C'est humide ici, entre les tiges, et c'est noir. Il enlève son jean et je remonte ma robe.

« Pas comme ça. Déshabille-toi entièrement, comme la dernière fois. »

Ma robe est courte et ample et s'enlève facilement. Je la roule en boule et la jette au loin.

« C'est déjà mieux. »

Nous sommes étendus de tout notre long entre les tiges, brûlants, glissants, nus.

« Redis-moi ce que tu m'as déjà dit.

— Quoi ?
— Dis-moi qu'on pourra toujours baiser, toi et moi.
— C'est pas la peine, tu le sais déjà.
— Mais dis-le quand même.
— On pourra toujours baiser.
— Toujours.
— Quand on veut.
— Maintenant. »

Il est allongé en dessous de moi. Je me glisse doucement sur lui et nous nous mettons à bouger. Je suis sur un escalier sans fin, qui descend, descend, vers nulle part.

Je m'endors ensuite pendant une minute, une brève incursion dans le sommeil qui s'interrompt aussi vite qu'elle a commencé. Richard bouge et me fait rouler sur le côté. Il se lève et rampe le long des tiges, en terrain découvert.

« Qu'est-ce que tu fabriques ?
— Je cherche ta robe. »

Je m'époussette pour enlever la terre et je le suis. Il balaie le sol de ses mains, mais n'importe quelle tache d'ombre pourrait être ma robe.

« Et si tu ne la retrouves pas ?
— Oh, je vais la retrouver, ne t'inquiète pas. »

Il la découvre et se jette dessus. « La voilà. »

Il y a suffisamment de lumière pour que nous puissions distinguer la pâleur de nos corps nus. Il soulève la robe et la secoue. Puis il s'agenouille et la garde entre les mains.

« Qu'est-ce que tu fais ? Richard, qu'est-ce que tu fabriques avec ma robe ? »

Je l'entends forcer et grogner, puis le coton si doux se déchire.

« Regarde ce que tu as fait ! »

Il rit, la retourne et la déchire encore un peu plus.

« Salaud !

— Je suis sûr que ça ne te dérange pas. Pas vraiment.

— Pourquoi tu as fait ça ? »

Il la lance au loin et se lève. « Pour que tu ne puisses pas retourner dans la maison.

— Je vais faire un sort à ton foutu jean alors.

— Impossible. Il est trop solide.

— C'est ce qu'on va voir. »

Nous luttons corps à corps puis nous oscillons. Tout à coup je glisse ma main vers le bas et lui écrase les couilles avec force.

« Bordel, Nina ! Ça fait mal.

— Ça ne te dérange pas, tu aimes ça.

— J'aime tout ce que tu me fais.

— Comme c'est gentil.

— Attends une minute. » Il se raidit, à l'écoute de son corps, comme font les hommes pour vérifier s'ils ont une érection ou pas.

« Non, pas maintenant que tu as déchiré ma robe.

— Je t'en donnerai une autre.

— Certainement pas. Je m'achète mes vêtements toute seule.

— Je veux que tu sois nue.

— Ça n'a pas d'importance. »

Ce n'est pas souvent que j'arrive au stade où j'oublie qui je suis. Où je finis et où l'autre commence. Il faut que ça dure longtemps et ce n'est pas une question d'émotions, c'est physique. J'y suis parvenue avec Richard.

« On ne peut pas rentrer dans cet état-là, dis-je plus tard, on sent la baise.

— Tu pourrais enfiler ma chemise.

— Ce serait encore pire. Je sais quoi, viens. »

Je l'entraîne vers les nouveaux pommiers d'Isabel. Je touche le seau en zinc avec mon pied, puis j'entrevois la lueur vague de l'eau.

« Tiens-toi tranquille. Quoi que je fasse, pas un bruit. Ferme les yeux. »

Impossible de voir s'il m'a obéi ou non. Je me penche et fais porter le poids du seau lourd sur les muscles de mes cuisses. L'eau part sur un côté.

« Baisse-toi. »

Je me tiens tout près de lui, soulève le seau aussi haut que je peux et le renverse sur nous deux aussi lentement que possible. L'eau coule en un flot glacé et continu sur nos cuisses, nos épaules et nos torses.

« Lave-moi, lui dis-je, et je continue de verser pendant qu'il étale l'eau partout sur mon corps.

— Attends une minute. Écarte les jambes.

— Ça suffit, Richard.

— Je vais te laver, c'est tout. » Il prend de l'eau dans le creux de sa main et me nettoie la vulve avec autant de douceur et de rapidité qu'une infirmière. « Maintenant à toi. » Je lui passe le seau à moitié plein et je lave son pénis, ses couilles, ainsi que la sueur et le sperme piégés dans ses poils.

« Te voilà propre. »

Je regarde Richard pendant qu'il se rhabille lentement.

« Allez, mets ça. Sinon tu vas attraper froid. »

J'enfile sa chemise et la boutonne. Elle est suffisamment longue pour couvrir mes cuisses. Si je croise quelqu'un, pourquoi devrait-il s'imaginer que ce n'est pas la mienne ?

« Quelle heure est-il ?

— 11 heures.

— C'est tout ?

— Oui. Nina... »

Je l'entends dans sa voix, la conversation inévitable.

« Je suis fatiguée, Richard, j'ai envie d'aller me coucher.

— Je sais. Mais on a des choses à discuter. Et demain je ne suis pas là.

— Je t'ai déjà dit que je n'avais pas envie.

— Nina, dit-il en me prenant les poignets, on ne peut pas continuer comme ça. A baiser dans le jardin et jamais dans la maison. Tu te fais des illusions. Je connais ton utérus au toucher, bon sang. Je t'ai regardée pisser. Alors merde, on va parler. »

Utérus, me dis-je brièvement, impressionnée. Pour beaucoup d'hommes ce n'est franchement pas un gage d'intimité. J'avais regardé ce programme télé où des hommes aux yeux bandés devaient accrocher le clitoris sur un dessin représentant un sexe de femme. C'était comme accrocher la queue d'un âne, sauf qu'ils n'étaient pas aussi précis. L'un d'eux est tombé juste, plus ou moins, et il est ressorti en se tapotant l'aile du nez. *Ça sert, d'être marié,* a-t-il expliqué. J'adore. Puis je me souviens que Richard s'y connaît en utérus, forcément. Celui d'Isabel s'est ouvert pour l'accouchement.

« Si c'est comme ça je retourne à Londres », dis-je. Il lâche mon poignet avec une telle soudaineté que mes mains heurtent mes cuisses. Puis il s'éloigne de quelques pas. J'attends. D'une voix sèche et changée il finit par dire : « Vous n'êtes vraiment pas sœurs pour rien, hein ?

— Ce qui veut dire ?

— Que vous reprenez toujours d'une main ce que vous donnez de l'autre. »

J'enroule sa chemise autour de moi. « Je rentre.

— Eh bien vas-y. »

Edward m'attend quand je pénètre dans l'obscurité par la porte de la cuisine. « Je savais bien que tu entrerais par là », me lance-t-il. Tout mon sang reflue vers mon cœur puis file vers ma peau. Il allume la lumière et la pièce m'assaille, trop lumineuse, trop brillante, chaque surface aussi inquisitrice que le regard de Margery Wilkinson. Je baisse les yeux et remarque les taches sombres sur la chemise que je porte, comme du sang. Du jus de framboise. Mes jambes aussi sont égratignées, et pleines de terre.

« Je savais déjà, dit Edward. Je vous ai vus ce matin. Vous vous croyez où, bordel ? Dans le Jardin d'Éden peut-être ? Vous auriez dû vous voir.

— Baiser n'est pas supposé être joli à regarder. Tu devrais le savoir. Ou peut-être que tu ne le sais pas, justement, sinon Alex serait resté plus d'une heure.

— J'ai du mal à croire que tu sois la sœur d'Isabel.

— Non, tu as raison. Je ne lui ressemble absolument pas. Je suis la vilaine et elle est la gentille, c'est ça ? »

Je me dis que ça ne me touche pas, que rien de tout cela ne me touche. C'est comme un mauvais match de tennis. Mais mon dos est appuyé contre la porte et je suis essoufflée.

« Comment tu peux lui faire ça ? » me demande-t-il, et cette fois-ci il n'y a pas de méchanceté dans sa voix. Il veut savoir, c'est tout. « Elle vient d'accoucher. Elle a été terriblement malade. Tu sais à quel point elle est vulnérable, ou en tout cas tu devrais. Tu te fiches complètement d'elle ou quoi ?

— Tu n'as pas le droit de me demander ça. »

Et là je sais que j'ai gagné. Il regarde ailleurs et sa peau claire rougit.

« Ça ne tourne vraiment pas rond chez toi », dit-il. Je le regarde mais ne parviens pas à être fâchée. En fait je ne peux me forcer à éprouver une seule des émotions qu'il attend de moi et souhaite à demi. Il aime vraiment Isabel.

« Qu'est-ce que tu vas faire alors ? » dis-je, et, comme je m'y attendais, il ne répond pas.

Je me dirige vers la porte. Je peux aller voir Isabel maintenant, qu'elle soit endormie ou non, et avant tout le monde. Je suis sa sœur après tout.

17

La lampe est allumée, et Isabel est debout près du berceau, de profil quand j'ouvre la porte. Les barreaux sont abaissés. D'abord je remarque les grosses roses sur son kimono en soie, puis sa tête inclinée sur le côté et tout son corps penché au-dessus de l'enfant. Sa main est posée sur lui et elle appuie, de tout son poids me semble-t-il.

J'ouvre une bouche sèche et ma voix râpe dans ma gorge. Je la vois, la grande Isabel dans son kimono qui balaie le sol, avec ses cheveux noirs et soyeux tombant comme des grappes de raisin. Mais je vois aussi une autre Isabel, moitié moins grande, dans une chemise de nuit en coton qui lui arrive aux genoux. Cette Isabel-là est hissée sur la pointe des pieds et penchée au-dessus du berceau. Ses cheveux glissés derrière ses oreilles dégagent son visage fin et décidé. Elle appuie sur le dos du bébé, elle appuie et l'enfonce dans le matelas. Les petites jambes violettes s'agitent mais je ne perçois aucun bruit, le visage est caché dans un carré de mousseline. Elle m'entend entrer, se retourne, et continue d'enfoncer le bébé. Son visage est froid et dur comme celui d'un serpent, mais sa voix chuchote doucement.

« Il pleurait. Je l'endors. Retourne dans notre chambre. »

Et j'obéis. Je repars furtivement, mes pieds nus soudain froids sur le lino, jusqu'au grand lit que je partage avec Isabel. Je grimpe dedans, j'enroule les draps bien serrés autour de moi puis je m'allonge dans l'obscurité que j'ai créée, tremblant jusqu'à ce que je me rendorme. Quand je me réveille le lendemain matin, il fait soleil et Isabel est assise par terre en tailleur, elle lit un livre. Elle lève les yeux et me sourit.

Arrêt sur image. La grande Isabel, ma sœur avec son enfant, est debout près du berceau et tapote le dos de son bébé en douceur et en rythme.

« Il a des flatulences, chuchote-t-elle. Il a eu d'affreuses coliques ce soir.

— Isabel. » Je ne trouve rien d'autre à dire.

« Quoi ?

— Colin. Que s'est-il passé ? Que lui est-il arrivé, à Colin ? »

Mais le visage doré d'Isabel est lisse, lumineux et paisible. Elle se recule avec précaution afin de ne pas réveiller le bébé. Je distingue alors le visage endormi et parfait d'Antony.

« Qu'est-ce qui te prend, Nina ? Tu sais bien que c'était la mort subite du nourrisson. Je n'en reviens pas que tu continues de remettre ça sur le tapis alors que je viens juste d'accoucher. J'en ai parlé à Edward ; il avait bien envie de te dire deux mots mais je lui ai demandé de s'abstenir. »

Elle sourit. « C'est merveilleux quand ils dorment, non ? »

Des vagues de conspiration paisible déferlent en moi, mais cette fois-ci je vais me battre. « Isabel, quand je t'ai vue, là... » Non, ce n'est pas la bonne manière. « Isabel, la nuit où Colin est mort. Tu dois te souvenir, c'est important.

— Je me souviens. » Ses yeux bleu clair me regardent à leur tour et un pli délicat lui barre le front.

« Tu étais dans sa chambre ? Avant mon réveil ?

— Comment ça ? Qu'est-ce que tu veux dire ?

— Je veux savoir si tu es allée dans sa chambre. Si tu es restée près de son berceau comme maintenant, comme tu viens de le faire avec Antony.

— Qu'est-ce qui te fait croire ça ? demande Isabel vivement.

— Je l'ai vu, là, tout de suite. Tu étais debout, dans ta chemise de nuit, la rose. Tu te souviens, la tienne était rose et la mienne bleue. Tu m'as regardée et tu m'as parlé. Tu m'as dit que tu endormais le bébé. "Retourne dans notre chambre", tu m'as dit.

— Comment ça, tu l'as vu ?

— Je l'ai vu. Je m'en suis souvenue. Tu sais comment je me souviens des choses sous forme d'images. »

Elle reste silencieuse et me regarde fixement à son tour, le visage impassible. Mais je connais trop bien Isabel pour ne pas voir les pensées qui courent, vacillent, plongent et remontent à la surface. Elle fait un pas dans ma direction, puis un autre. Tout à coup la soie rose du kimono m'entoure et m'enserre. Isabel respire bruyamment et son souffle se mue en sanglots. Je recule et vois des larmes sur son visage, puis d'autres qui s'accumulent aux coins de ses yeux.

« Oh, Nina. Oh, Neen, bégaye-t-elle, et ses mains fines attrapent les miennes. Je pensais que tu avais tout oublié. Je croyais que tu ne t'en souviendrais jamais.

— Mais je m'en souviens.

— Ne fais pas ça, Neen, non. N'essaie pas de te rappeler. Tu n'avais que quatre ans. Tu ne savais pas ce que tu faisais. »

Ses grands yeux ondoient dans ma direction, son visage est tendu par la pitié qu'elle éprouve pour moi. Je recule d'un pas.

« Quoi ? Qu'est-ce que tu veux dire, Isabel ? Ce n'était pas ma faute. C'est impossible. Comment ça aurait pu l'être ?

— Tu te souviens de tout ? » me demande-t-elle. Elle a le visage d'un juge plein de compassion.

« Bien sûr que oui. » Mais l'incertitude tourbillonne autour de moi telle de la glace, m'emportant vers un nouveau climat. Au travers du brouillard et du froid, je commence à voir émerger la vérité d'Isabel, qui s'avance comme un iceberg pour obscurcir mon univers.

« Tu n'avais que quatre ans, m'explique-t-elle. Tu étais jalouse, forcément. C'était naturel. C'est pour ça que je n'ai jamais été en adoration devant Colin, ou que je ne l'ai jamais pris dans mes bras, tu t'en souviens sûrement, Neen. Tout le monde trouvait ça étrange parce que j'avais adoré te tenir quand tu étais petite. Mais tu détestais que je le touche et je le savais. C'est pour ça que maman a arrêté de l'allaiter, parce que tu étais tellement jalouse. Elle s'est dit que si elle le mettait au biberon tu te sentirais mieux.

— Dis plutôt que tu n'avais pas envie de t'occuper de lui.

— Bien sûr que si. J'ai toujours adoré les bébés. Et puis ce soir-là, tu te souviens ? Tu t'es fait gronder parce que tu avais sauté sur le lit et que le bruit l'avait réveillé. Maman était furieuse. J'ai bien essayé de te consoler mais je n'avais pas vu à quel point tu étais en colère. Puis on a dû finir par s'endormir.

— Mais c'est toi qui étais dans sa chambre, penchée sur son berceau !

— Bien sûr que oui, mais c'était après.

— Après quoi ?

— Après que je suis entrée et que j'ai vu Colin. Je t'avais entendue revenir dans la chambre et j'avais cru que tu étais allée aux toilettes. Puis je me suis complètement réveillée et je me suis dit que c'était pas possible : tu avais peur de la chasse d'eau et tu me réveillais toujours pour que je t'accompagne. Alors j'ai compris que quelque chose ne tournait pas rond. Tu avais très froid et je t'ai bordée à nouveau dans le lit. Mais tu avais laissé la porte ouverte. Quand je suis allée la fermer j'ai remarqué que celle de Colin était ouverte elle aussi. Je suis entrée et j'ai vu ce que tu avais fait. L'oreiller était encore sur sa tête. » Je regarde Isabel fixement, incapable de parler. « J'étais sûre qu'ils devineraient que c'était toi. Tout le monde te savait jalouse. J'ai enlevé l'oreiller, j'ai retourné le bébé, et quand j'ai vu sa couleur j'ai compris qu'il était mort. J'ai réarrangé toutes les couvertures et je l'ai installé de façon à ce qu'on le croie endormi face à la porte. Mais quand je me suis retournée, tu étais là. Tu ne t'étais pas rendormie. J'ai eu peur de t'effrayer alors je t'ai expliqué que Colin s'était réveillé et que je le cajolais. Je ne voulais pas que tu saches ce que tu avais fait. Je pensais que tu ne saurais jamais. Peut-être même que tu aurais tout oublié le lendemain matin. »

Je me passe la langue sur les lèvres. « Effectivement, dis-je d'une voix fêlée.

— Je m'en doutais. Je m'en suis rendu compte le lendemain matin. Alors après qu'on a joué j'ai fait semblant d'aller voir comment il se portait. Je ne voulais pas que tu penses que ça avait un quelconque rapport avec toi.

— Isabel. » La peur, l'horreur, l'admiration, l'incrédulité luttent en moi. L'iceberg entame le flanc de mon navire et je coule. Mais Isabel ne paraît pas se rendre compte de mon anéantissement, elle poursuit son bavardage. « C'est pour ça que j'ai été malade. J'ai dû tout garder pour moi et ne rien dire à personne. Je ne pouvais pas aller à l'enterrement non plus.

— Tu n'as jamais, alors... Tu ne l'as jamais... dit à personne ?

— Non, répond-elle en soutenant mon regard, bien sûr que non. Je ne t'ai jamais accusée, Neen. Je ne t'ai jamais accusée de quoi que ce soit, je t'aime. »

18

Personne ne sait. Ni Richard ni Edward. Elle n'a rien dit à personne parce que c'était trop risqué. J'étais sa Neen, son bébé. Elle a cru qu'ils m'emmèneraient s'ils apprenaient.

Elle m'aimait tant, je l'ai toujours su. J'ai toujours su qu'Isabel m'aimait encore plus que notre mère, parce qu'elle me l'a dit. Elle m'emmenait souvent jusqu'au bout de la jetée Smeaton, lorsque la marée était haute et que les bateaux de pêche rentraient au port. On pouvait voir à travers six mètres d'une eau tellement claire. Si nous étions tombées nous serions restées suspendues là, comme des fruits en gelée. Le vent soufflait, nos cheveux voletaient et elle me serrait la main. L'éventualité d'une chute me faisait mal aux genoux mais avec Isabel j'étais en sécurité. Ma mère la laissait m'emmener n'importe où.

« J'ai dû garder ce secret pendant si longtemps. Je suis désolée, Neen. Vraiment désolée. Si tu n'avais rien dit je me serais bien gardée de t'en parler. Mais je te jure que personne n'en saura jamais rien.

— Pas même Richard ?

— Non. »

Quant aux preuves, elle n'avait pas besoin de me dire ce qu'il en était advenu. Elles étaient complètement dissoutes à présent, disparues sous terre ; Colin est enterré depuis trop longtemps. Si personne n'en a découvert à l'époque, ce n'est pas maintenant qu'ils vont en trouver.

« La police est venue ? » Isabel secoue la tête, ses cheveux brillent et ondulent à la lueur de la lampe. Pourquoi je pense à sa beauté maintenant, alors que c'est la dernière chose qui compte ?

« Mais le médecin est venu.

— Il nous a demandé ce qui s'était passé ?

— Bien sûr que non. Ce n'est pas nous qui avons découvert Colin. Nous avions dormi toute la nuit, comme d'habitude.

— Et tu n'as pas... tu ne leur as jamais rien dit ? »

Sa tête s'incline à peine sur le côté. Elle me regarde intensément.

« Tu vas bien, Neen ? Ça n'a pas l'air.

— Euh, je ne sais pas. Je ne me sens plus moi.

— C'est parce que tu as reçu un choc. Tu ne t'en étais pas rendu compte jusqu'ici. Tu n'as jamais rien deviné. J'ai toujours su que tu ne savais pas. » Elle m'offre un grand sourire, me rendant mon innocence. « Tu n'aurais jamais pu faire aussi bien semblant. On dit que, confrontés à un événement terrifiant, les enfants refoulent leurs traumatismes, tout au fond.

— Je devrais me souvenir, pourtant. On ne peut pas faire une chose pareille puis l'oublier. » Je tourne en rond autour des mots que je ne peux me résoudre à prononcer. Une fillette de quatre ans, moi, a posé un oreiller sur la tête d'un bébé et appuyé dessus jusqu'à ce que mort s'ensuive, puis elle est retournée dans sa chambre et a dormi jusqu'au lendemain matin. Et elle n'en a jamais parlé, n'a jamais réagi, a tout oublié. Pourquoi mes mains ne se souviennent-elles pas ? Pourquoi mes doigts ne me font-ils pas mal ? Il a bien dû se débattre.

« Tu te rappelles les jeux auxquels on jouait avec nos poupées ? me demande Isabel. Elles étaient toujours malades, elles mouraient, on les enterrait puis elles revenaient à la vie. Tu as dû croire que pour

Colin ce serait pareil. Tu lui as fait comme à tes poupées. Tu ne savais pas vraiment ce qu'était la mort. »

Mais si je savais. Je suis allée à l'enterrement et je l'ai vu sortir dans cette petite boîte blanche que notre père tenait dans ses bras. Le couvercle était posé, cloué, et il ne serait jamais enlevé. J'ai compris ça et j'ai eu peur quand j'ai regardé le visage bouleversé de ma mère. Je savais déjà quelque chose de la mort.

« Isabel. » Ma voix est rauque. « Merci. »

Les yeux d'Isabel s'écarquillent. « Merci ? Mais de quoi ?

— De n'avoir rien dit.

— Je ne dirai jamais rien. Tu peux me faire confiance, Neen. »

Je la dévisage. L'idée m'effleure que, même si elle parlait maintenant, personne ne la croirait. Comme il n'y a pas de preuves, c'est sa parole contre la mienne. Même ma mère est bel et bien morte, et je pense qu'elle seule aurait pu oser renouer les fils d'une telle histoire.

« Va te coucher, dit Isabel. Va te coucher, Neen. Tu m'as l'air vidée. »

Ma sœur me regarde au fond des yeux. Son corps est d'un calme olympien et une esquisse de sourire flotte toujours sur ses lèvres. Depuis mon arrivée je n'ai pensé qu'à sa faiblesse et à sa fragilité, mais maintenant que ce vernis a été arraché il est facile de voir à quel point elle est forte. Elle n'a rien dit pendant vingt-cinq ans. Et non seulement ça : elle n'a jamais changé d'attitude vis-à-vis de moi. J'essaie d'imaginer quel effet ça doit faire de prendre la main d'une enfant de quatre ans qui a tué son petit frère et de la ramener au lit. Sans m'effrayer. Puis d'enlever l'oreiller et de bouger Colin pour qu'il soit couché « comme s'il dormait ».

Je me demande ce qui se serait passé si elle n'avait pas eu cette présence d'esprit. J'aurais eu une autre vie, pas la mienne. La vie que je possède, je la possède parce qu'Isabel me l'a donnée. Ma mère, c'est elle.

« A demain matin, me dit-elle. Va te coucher. On n'en reparlera plus jamais, tout sera comme avant. »

Du berceau d'Antony nous parvient un minuscule soupir, une respiration.

Je dors. Je suis près de la mer, le vent souffle, la fureur des mouettes gronde dans mes oreilles. Nous gravissons des falaises trop hautes. Au-dessus de ma tête le bruit des mouettes se mue en voix coléreuses. Je suis petite et à moitié cachée dans les jupes de ma mère, debout dans la rue froide tandis que les grands parlent au-dessus de moi.

« Plus d'une fois en voyant passer votre petite je me suis dit : Elle est trop jeune pour sortir toute seule avec ce landau. Si Jos Quick ne l'avait pas rattrapé, il aurait disparu, votre gamin. »

Ma mère répond sur un ton froid et coupant. « C'était un accident et elle le regrette.

— J'espère bien. Vous saviez qu'elle était occupée à fouiller dans les flotteurs et les filets ? Elle tournait le dos au landau qu'elle avait laissé là, tout au bord de la jetée, sans y mettre le frein. Elle vous l'a dit, ça ?

— Bien sûr que oui.

— Une bonne raclée, voilà ce qu'il lui faudrait, si vous voulez mon avis. Elle a quel âge ? Sept ans ? A son âge, elle devrait quand même être plus futée que ça.

— Ça ne se reproduira pas. »

Les voix changent. Ce sont des mouettes à présent, plus des femmes. L'une d'elles fend l'air dans ma direction et s'arrête juste au-dessus de ma tête. Je sens ses pattes dans mes cheveux, qu'elles emmêlent, tirent, soulèvent pour m'emporter avec elle vers son nid dans les falaises. Je me réveille en sursaut, glacée, ma montre indique 4 h 17. Le rêve était tellement net que je pose la main sur mes cheveux. Mais les voix s'atténuent déjà, devenant des bruits, plus des mots. Quelques secondes plus tard je sors du rêve qui s'est envolé.

Mais je ne suis pas tirée du sommeil pour autant puisque ce rêve est suivi d'un autre. Ma mère est toujours là. Elle n'est plus en colère mais je la vois assise sur mon lit, les jambes croisées dans un vague frottement de Nylon. Elle s'apprête vraisemblablement à sortir parce que lorsqu'elle travaille elle enfile un pantalon, une blouse, et elle sent la poussière d'argile, pas le gardénia. C'est le soir, je suis sur le point d'aller me coucher mais Isabel n'est pas encore montée. Maintenant que mes jambes sont longues mes pieds font une bosse tout au fond des couvertures. J'ai sept ou huit ans. Ma mère me regarde et me dit : « J'ai toujours su que je pouvais laisser mon porte-monnaie n'importe où dans la maison et que ni toi ni Isabel n'y toucheriez. » Et je hoche la tête fièrement, ravie par l'idée de ma propre honnêteté. « Mais ce n'est pas grave, Nina, me dit-elle.

— Qu'est-ce qui est pas grave ?

— C'était juste... » Elle détourne soigneusement le regard. « ... juste que je pensais avoir plus d'argent que ce que j'ai trouvé quand j'ai dû payer le laitier.

— Tu l'avais sûrement déjà dépensé.

— Oui, sûrement. » Elle tend la main vers la drôle de mèche qui me tombe toujours sur la figure quand je ne la retiens pas fermement avec une barrette. Elle me caresse les cheveux vers l'arrière.

« Est-ce qu'ils sont presque aussi longs que ceux d'Isabel ?

— Pas tout à fait. » Ma mère dit toujours la vérité. Parfois je pense qu'un peu moins de vérité nous rendrait la vie plus facile.

« Quelque chose te tracasse, Nina ? » demande soudain ma mère, et ça me surprend. Elle ne pose pas ce genre de questions d'habitude.

« Non. Bien sûr que non. » Je me force à avoir un regard aussi honnête que possible dans la semi-pénombre.

« Je me disais juste que parfois... c'était peut-être dur pour toi d'avoir Isabel... d'avoir une grande sœur toujours en avance sur toi.

— Tu veux dire, parce qu'Isabel est douée pour plein de choses ?

— Pas seulement ça. »

J'essaie de réfléchir à ce que ma mère peut bien vouloir dire. Bien sûr qu'Isabel est meilleure que moi à l'école, mais j'en ai pris mon parti. Les maîtres se souviennent d'elle et m'attendent au tournant dès que j'atterris dans leur classe. Je suis hantée par le fantôme de son écriture parfaite et par ses chaussettes qui ne tire-bouchonnent jamais. On m'a montré des pages de ses cahiers de brouillon. Les additions y étaient tellement splendides que l'instituteur lui avait donné non seulement dix bons points mais un lapin argenté à coller dans son cahier en prime.

« Parce qu'elle a des cheveux plus longs et tout et tout ?

— Hmm. Non. Je me demandais seulement si tu n'avais pas envie de faire davantage de choses toute seule. Sans elle.

— Mais j'aime bien être avec elle.

— Je sais. Mais toi tu aimes dessiner par exemple, et elle non.

— Je dessine toujours quand Isabel est occupée.

— D'accord, mais tu es très douée pour le dessin. Ton talent ne se développera pas si tu n'y travailles pas. »

Ma mère me donne l'impression de parler à une adulte, pas à moi. Je me tortille dans le lit. « Tu pourrais nous donner des leçons », dis-je. Je sais aussi qu'elle ne parle pas d'Isabel et moi, mais seulement de moi. Par esprit de contradiction, je refuse de l'admettre. Isabel sait dessiner un vase de marguerites et un chat qui regarde un poisson rouge. Et c'est tout. A l'école, on se penche sur sa table quand elle s'y met.

« Isabel va goûter chez Katie Trevose demain. Pourquoi tu ne passerais pas me voir à ce moment-là ? » Elle décroise les jambes. Je sais qu'elle ne me le demandera pas deux fois, parce que ma mère est comme ça. Elle n'essaie jamais de nous persuader.

« D'accord.

— Bon. » Elle tapote mes jambes. Je me glisse dans le lit, en silence. Isabel va venir se coucher d'un instant à l'autre. Sentira-t-elle ma traîtrise dans l'air ?

Me voici réveillée à présent. Complètement. Il me faut réfléchir à ce que je dois faire. Il est plus tard que je ne croyais ; j'ai dû me rendormir. Il est 6 heures moins 10 et la pièce est claire. J'ai faim.

Personne n'est encore réveillé, pas même le bébé. Il n'y a rien dans les placards à part du Nescafé, deux paquets de Weetabix et de la marmelade à bon marché. Isabel fait pousser ses légumes mais elle a aussi un freezer plein de tourtelettes au porc et de saucisses de bœuf. Je plonge la main dans le canard creux en porcelaine où ils mettent les clés. Mais oui, Richard y a bien laissé celles de l'auto.

C'est agréable de se trouver à nouveau dans une voiture, avec son odeur citadine d'air vicié. J'allume la radio, je mets le contact et j'effectue une marche arrière prudente autour de l'étang. Au moment où je me retrouve sur le chemin j'ai l'impression qu'on me regarde. Je continue et conduis plus vite que je ne le devrais sur la surface dure, sans me retourner.

Personne en ville non plus. Je gare la voiture et descends Wash Street vers le coin où je me rappelle avoir vu une boulangerie. Je la sens d'ici, la chaleur du pain frais s'enroulant dans les rues ternes. Le gris s'estompe pour céder la place au bleu et il est clair qu'il va encore faire chaud. Il faut tellement peu de temps pour s'habituer à un climat où le soleil brille en permanence.

C'est une bonne boulangerie. J'achète du pain au fromage et une pizza fraîche dans une boîte blanche en carton, deux baguettes ainsi qu'une miche collante et foncée avec des graines de tournesol dedans. J'achète aussi une boîte de sablés faits maison et cinq beignets à la crème. Susan, Richard, Edward, Nina. Et Isabel. La vendeuse me trouve des sacs plastique pour tout mettre. J'ajoute un pot de *chutney* au gingembre. Juste à ce moment-là arrive la première fournée de croissants sur un plateau métallique plein de taches et j'en achète une douzaine. Les bras chargés je sors en jetant un œil par-dessus les sacs et les boîtes. Un homme qui promène son chien me sourit. « Vous en avez une grande famille à nourrir », me dit-il. Je hoche la tête, je souris et j'imagine la personne qui rentrerait chez elle pour y retrouver la table en bois briquée, la cuisinière à bois, les enfants blonds et briqués eux aussi, puis qui déposerait les paquets sur la table en lançant : « Et maintenant, mes chéris, ne vous jetez pas dessus tous en même temps... »

Je range les sacs dans le coffre et monte dans la voiture. Les rues sont propres et vides, je conduis sous l'effet d'une joie grandissante. Puis j'accélère pour quitter la ville par la large route blanche qui serpente au pied des Downs. Le soleil est levé et de nouvelles ombres bleues sont apparues sur le bas-côté de la route. Au-dessus des Downs le ciel brille, la voiture sent le pain et la pizza. A la radio on passe *Turn Your Back on Me*. Dans le rétroviseur je vois alors se rapprocher un immense camion. Ses dents métalliques sont tellement près que j'ai l'impression qu'il va me rentrer dedans. Mais il se déporte au dernier moment. Ses énormes roues font un bruit sourd lorsqu'il me dépasse, déstabilisant la voiture et prenant toute la route alors que se profile un tournant sans visibilité. Ses freins sifflent bruyamment mais il continue de rouler à côté de moi dans un fracas aveugle, lourd et rapide. Le moment s'étire et dans l'encadrement de ma vitre les énormes roues déchirent l'air, tellement proches qu'il me suffirait de sortir la main pour les toucher. Mais il ne se passe rien. Aucune voiture n'arrive en face, à aucun moment le fait d'être vivant n'explose dans... quoi ? Il ne se passe rien. Je tiens le volant avec fermeté. Les vitres sont grandes ouvertes et j'entends un oiseau chanter dans la haie sur ma gauche. Puis le camion oscille devant moi, se stabilise et continue sa route. Je suis à moins d'un kilomètre du croisement qui mène au chemin.

Je bifurque et j'arrête la voiture. Les oiseaux chantent plus fort. Je ne me sens pas différente ce matin-ci des précédents. Je me dis que ça n'a pas dû encore faire tilt. Je vis toujours comme si je ne connaissais pas la vérité sur ce que je suis. L'univers matinal est aussi neuf et lumineux que d'habitude. Le chemin devant moi est bloqué par des croupes de vaches qui avancent avec lenteur et docilité ; je passe une vitesse et je roule derrière elles, à leur rythme.

Dans la cuisine Richard donne le biberon au bébé. J'entre avec tous mes sacs et mes boîtes et referme la porte d'un coup de pied. Il me regarde, mais ne dit rien. Le bébé paraît tout chiffonné et minuscule contre sa chemise bleue. Richard lève les yeux vers moi mais son visage est difficile à sonder.

« Petit déjeuner, dis-je en lâchant le tout sur la table.

— Ça sent bon.

— J'espère bien. Le seul truc que je n'ai pas rapporté c'est du café.

— Il y en a un pot dans le placard.

— Peut-être mais moi je te parle de vrai café.

— Qu'est-ce que tu es snob, dis donc. Surtout en matière de nourriture. »

Notre conversation sonne aussi faux qu'une pub. Je m'approche de lui et le bébé lève les yeux, mais pas vers nous. Je me rends compte tout d'un coup que l'on peut faire ce que l'on veut devant un bébé. Cela m'effraie de penser au pouvoir qui accompagne la naissance d'un enfant.

« Il le boit, dis-je.

— Bien sûr. Il en a déjà pris deux cette nuit. Ça m'ennuie de l'admettre, mais la mère de Susan avait raison. Il avait faim, cet enfant.

— Une vraie garce, cette femme.

— Mais sexy, tu ne trouves pas ? Contrairement à sa fille.

— Mais elle est sexy, Susan !

— Pas autant que toi.

— Mon Dieu, Richard, pourquoi tu racontes autant de conneries de si bonne heure ?

— Je ne sais pas. J'ai du mal à trouver quoi te dire. »

Je pose les croissants sur les assiettes, coupe du pain, sors la confiture de framboises du placard et une nouvelle plaquette de beurre du frigo.

« C'est chouette de te regarder, dit Richard. Tu t'es enfuie comme une voleuse hier soir.

— C'est ta faute. »

Je regarde sa main qui tient le biberon, son pouce large sous la tétine. J'aime son air d'homme expérimenté.

« Est-ce que tu me regardais de derrière la fenêtre ce matin, quand je suis partie ?

— Non.

— J'ai cru voir quelqu'un pourtant.

— C'était peut-être Isabel. Elle n'a pas dormi, c'est pour ça que je donne son biberon à Ant. »

Ant. Il dit ça sur un ton léger et affectueux comme si, pour la première fois, le bébé était à ses yeux une personne à part entière. Et puis il lui sourit et il me lance : « Tu sais te débrouiller avec ce truc-là, non ?

— Ça va, je m'en occupe, dis-je en tendant les bras, tu peux faire le café. »

Richard soulève le bébé endormi et dodelinant. Je le prends et tends deux doigts pour soutenir sa nuque. Un rot lacté coule de sa bouche et il éternue ; puis il s'endort, suspendu à mes mains comme un chaton. Je l'installe dans le creux de mon bras et le regarde fixement pendant que Richard tourne dans la cuisine, décrochant les tasses et remplissant la bouilloire. Comme le bébé est léger. Comme ce serait facile de lui faire mal. Mais est-ce que craindre une chose signifie que l'on a envie de passer à l'acte ? Des strates de désir et de non-désir se réfléchissent en moi comme des miroirs. Je ne veux pas lui faire mal mais en même temps je crains de le vouloir. Un seul doigt sur ses narines suffirait. Et il y a son pouls, qui bat sous la fontanelle. Ça me donne le vertige de penser combien il serait facile de lui faire mal. Il est recroquevillé sur lui-même, comptant sur le monde pour le soutenir, parce qu'il n'a pas le choix. Je pense aux enfants de l'orphelinat en Roumanie qui tendent la main vers leurs tambours et leurs tambourins. Ils n'ont pas le choix non plus. Si une lumière brille, ils doivent se tourner vers elle. Mais il y a un instinct, sûrement qu'il y a un instinct qui nous empêche de faire du mal à un bébé ? Les enfants brûlent de jalousie mais ils ne font rien. Même un enfant de quatre ans jaloux et colérique peut faire la différence entre son frère et une poupée. J'étais une enfant, innocente qui plus est. Je n'ai jamais coupé de vers en deux ni écrasé de mouches.

A mes yeux mes poupées étaient toujours vivantes. Elles avaient des humeurs et des rêves. On pouvait leur faire mal puis les réconforter. C'était le pouvoir magique que nous avions, Isabel et moi. Nous étions leurs parents et nous étions toutes-puissantes. J'ai néanmoins occulté certains des jeux auxquels nous jouions.

« Richard.

— Quoi ?

— Tu n'as jamais peur, tu sais, quand tu le tiens, de le laisser tomber ?

— Tout le temps. Je suis soulagé d'apprendre que les femmes aussi.

— On se fait à tout.

— Ça ne prend pas longtemps, si ? Regarde-toi. »

Je me regarde. Une jeune femme dans la cuisine de sa sœur tenant son neveu pendant que son beau-frère prépare le café. Le bébé dort paisiblement et les doigts de la jeune femme s'enroulent autour de sa tête pour la protéger.

« De toute façon ils sont plus solides qu'on ne croit, dit Richard. Isabel l'a bien laissé tomber une fois et il s'en est remis.

— Seigneur, c'est vrai ? Quand ça ? » Je me sens curieusement soulagée. Si même Isabel...

« Juste après son retour de l'hôpital. Elle était très secouée. Je suis entré, il était par terre et la pauvre Isabel essayait de le ramasser. Elle était dans un sale état. »

Il plante une tasse de café devant moi.

« Ne la pose pas là, Richard.

— C'est bon, il ne peut rien attraper pour l'instant.

— Je n'arrête pas de penser aux trucs, comme le café, qui pourraient se renverser sur sa tête.

— Mais non. » Il déplace quand même la tasse. « Nos pires craintes sont sûrement justifiées, m'assure-t-il. Contrairement aux choses auxquelles on ne pense pas. » Puis le voilà derrière moi ; il me tire la tête en arrière et laisse ses doigts glisser autour de ma joue, de ma mâchoire, de ma gorge. Il trouve en moi des textures qui n'existaient pas jusque-là. « Tu vas sortir plus tard ?

— Oui.

— Où ça ?

— A la rivière.

— Je t'apporte un croissant. Ne bouge pas. »

Je le mange, les yeux fermés : la confiture, le froid, le beurre salé, les épaisseurs chaudes et fondantes de pâte. Il l'enfourne dans ma bouche petit à petit et je le mange en entier, y compris le bout craquant et brûlé.

« Je te rejoindrai là-bas, me dit-il. Vers quelle heure ?

— Vers 3 heures.

— Tu y seras ?

— Bien sûr que j'y serai. »

Tu ne sais pas à qui tu t'adresses, me dis-je.

19

On peut accéder aux prés inondables par le jardin, grâce à une petite porte découpée dans le mur latéral couvert de plantes grimpantes et pas évidente à voir si l'on ne regarde pas attentivement. Elle n'est pas fermée à clé. Des planches sont posées devant pour traverser ce qui serait un terrain marécageux n'importe quel autre été. Il n'y a pas d'eau en ce moment, juste de l'herbe pâle et desséchée. Je referme la porte derrière moi, celle qu'Isabel n'a pas trouvée la première fois où elle est venue ici. Edward est parti à Londres pour la journée. J'aurais dû m'y rendre moi aussi mais j'ai préféré rester ici. J'ai eu deux appels ce matin pour ce boulot en Roumanie, l'un pour fixer les dates, l'autre pour convenir d'une réunion dès que possible. J'avais envie d'y aller. Alors que je parlais au téléphone j'ai eu l'impression d'être quelqu'un d'autre, une personne vive et assurée, capable de réfléchir sur un projet, de prendre des photos et de dessiner. Ils veulent me rencontrer au plus vite. Et moi j'ai besoin de me préparer avant que tout ça ne se déroule sous mes yeux dans une langue étrangère.

Je les ai fait patienter, même si j'ai senti le doute poindre de leur côté pendant que nous parlions. Après tout, leur choix n'était peut-être pas si judicieux que ça. Je leur ai expliqué que ma sœur était très malade, le bébé tout petit et que la nounou n'arriverait que la semaine prochaine. Même pendant que je mentais c'était tout de même agréable d'entendre des voix en provenance de cet autre monde, d'autres sonneries de téléphone en fond sonore tandis que le cours de notre conversation était consigné au fur et à mesure dans un traitement de texte. J'ai senti l'impatience de ceux qui ne s'intéressent guère aux problèmes personnels. Ça ne m'a pas beaucoup plu mais je connais, je suis habituée. Après tout, c'est vers ce monde-là que je retournerai quand je m'en irai d'ici.

Avec moi, Isabel est comme d'habitude, ainsi qu'elle l'a promis. Elle n'a rien dit. J'ai préparé une salade verte pour accompagner la pizza du déjeuner et j'ai mis les beignets à la crème au frigo pour plus tard. Isabel a fumé cigarette sur cigarette toute la matinée et s'est baladée dans la maison avec une tasse de café dans l'autre main. Elle semblait passablement désœuvrée sans Edward.

« Tu ne devrais pas boire autant de ce truc », lui ai-je dit. Elle achète du café en poudre bon marché à l'épicerie du village, dans des boîtes blanches qui n'ont pas d'étiquette.

« C'est pas grave. J'ai arrêté d'allaiter », m'a-t-elle répondu, comme si la qualité du lait du bébé était la seule chose qui importait. C'est un changement brutal et soudain. Isabel l'a rejeté. Elle refuse de lui donner le biberon et Susan a passé presque toute la matinée à le nourrir, à lui faire faire son rot, et à le nourrir encore. Le nouveau lait lui fait mal au ventre. Il pleure, il a des renvois, puis il pleure encore tandis que du vomi jaune coule le long de son Babygros. L'air est chargé de fumée de tabac et de cris. Richard regarde Isabel qui fait tomber sa cendre en fronçant les sourcils, tend l'oreille pour entendre le bébé et continue de déambuler. Ses seins sont gros, pleins et douloureux. Elle répète qu'elle voudrait que le médecin lui donne quelque chose pour arrêter les montées de lait. Le visage de Richard est tellement alourdi par les problèmes que j'ai envie de lui crier : « Pour l'amour du ciel, arrange-toi pour qu'elle ne te voie pas comme ça. »

C'est bon de refermer la porte là-dessus et de sortir. Les prés se craquellent sous l'effet de la sécheresse et l'herbe a disparu aux endroits piétinés par le bétail. Il y a des centaines de minuscules papillons bleu pâle, plus qu'il n'y en a jamais eu ; au dire de Susan, une véritable invasion de papillons. En fait, ils ne volent pas, ils vibrent dans la chaleur. Il fait plus chaud maintenant qu'à midi. Difficile d'imaginer autre chose que ces jours qui se succèdent interminablement sans un nuage ou une bise. La chaleur génère son propre silence. Et elle nous isole aussi sûrement qu'une inondation. En traversant le pré, j'ai l'impression d'être un point minuscule perdu au beau milieu de cet été démesuré. Les arbres ont l'air d'avoir été suspendus, descendus à travers l'air grâce à des fils invisibles. Pendant que je traverse le pré les grillons stridulent avec tant de vigueur qu'on se croirait sans problème ailleurs qu'en Angleterre. Les prés sont blancs et craquelés, le ciel d'un bleu vif et impérieux. D'ici on ne voit pas encore la rivière, mais une fois que j'aurai traversé deux prés de plus, j'y serai. De quel côté Richard va-t-il arriver ? Il ne peut pas couper à travers champs, on risquerait de l'apercevoir de la maison. D'ailleurs, Isabel ou Susan peuvent me voir en ce moment même si elles veulent. J'ai emporté un grand carnet de croquis, que j'ai coincé ostensiblement sous mon bras en guise d'excuse. Qu'elles regardent donc Nina pleine de pizza marcher lourdement à travers les prés inondables. Ça lui prend une éternité. Mon dos se raidit et une coulée de sueur se forme entre mes épaules pour glisser ensuite lentement le long de mon dos. Le bétail est rassemblé près de la haie dans le peu d'ombre qu'elle offre.

J'atteins l'eau. Ce n'est pas ce que j'espérais. Elle n'est ni fraîche, ni brune, ni grouillante de poissons ou d'ombres mais d'un étrange vert porcelaine, avec un fort courant au milieu et quelques massifs de saules ou d'aulnes qui s'agrippent fermement aux rives. Ici non plus il n'y a pratiquement pas moyen de s'abriter du soleil. La chaleur jaillit de l'eau vers mes yeux. Le chemin de halage est étroit, et comme la rivière est légèrement au-dessus du niveau des prés, on a ce sentiment gênant que tout est au mauvais endroit. Je suis debout et je regarde l'eau qui contourne les roseaux en descendant. Elle est presque arrivée : plus qu'une dizaine de kilomètres jusqu'à la mer. Elle est bourrée de produits chimiques, sans compter les égouts qui s'y sont déversés et les eaux de ruissellement amassées sur des kilomètres de terres cultivables. D'après Richard elle est de meilleure qualité qu'avant mais plus personne n'ose y canoter ou y nager. Il ne vient pas grand monde. Qu'y a-t-il d'autre ici à part un sentier haut perché qui longe les méandres de la rivière ? Elle ondule comme une rivière de livre pour enfants, pas comme une vraie. Je n'arrive pas à voir le fond. Je me souviens que Richard a dit une fois : « C'est profond. Fais attention, ces rives sont crayeuses, elles s'effritent. Le courant est plus fort qu'il n'y paraît. » Je regarde l'eau fixement. Je n'aimerais pas étouffer dans ce magma de produits chimiques. On ne peut pas dire que ça sente mauvais, mais ça dégage une drôle d'odeur métallique. Je balaie les rives du regard mais il n'y a aucun endroit abrité à des kilomètres à la ronde, nulle part où nous puissions nous soustraire aux regards et baiser à la folie.

Je m'assieds avec précaution, les jambes repliées sous moi. Je regarde une brindille descendre le courant à une vitesse incroyable. J'ouvre mon carnet de croquis et je sors mon crayon, même s'il n'y a rien ici que je veuille dessiner. Hormis peut-être ces racines de saule, leurs bosses et leurs nœuds comme des mains qui s'enfoncent dans le sol. Je bouge un peu, retourne le carnet et plisse les yeux pour filtrer la lumière éclatante.

Je dessine pendant un long moment. Au beau milieu du dessin je me rends compte, sans avoir besoin d'y penser, que j'ai cessé d'attendre la venue de Richard. Bien. Je combats la tentation de transformer ces racines en autre chose que ce qu'elles sont, en mains par exemple. Ça ne fonctionne pas comme ça, les racines. J'arrache une feuille de papier gâché que je suis sur le point de rouler en boule puis de fourrer dans ma poche, lorsque j'ai une meilleure idée. Je défroisse le papier et me mets à l'œuvre. Un pli ; je le retourne ; puis un autre. Un triangle. Un chapeau de guingois. Un petit bateau.

N'osant m'approcher de la rive blanche qui s'effrite, je lance le bateau. Trop lourd pour voltiger, il se retourne dans les airs puis se remet à l'endroit comme par miracle, tombe sur l'eau et commence à voguer. Un courant le fouette par en dessous et le voilà qui tourne sur lui-même puis se redresse et file vers le milieu de la rivière. Je le suis des yeux jusqu'à ce qu'il disparaisse au tournant suivant, hors de ma vue, avant de se gorger d'eau et de sombrer.

Je suis toujours en train de le regarder lorsque j'entends un énorme bruit derrière moi. Je pense à d'immenses feuilles de papier arrachées du ciel. Je me retourne. Une grande chose aux ailes trop amples s'étire derrière un bosquet de saules près de la rivière. Elle s'élance dans les airs sans vraiment prendre d'altitude. Comme dans ces rêves où l'on essaie, par un effort de volonté, de passer par-dessus les haies pour voler, elle file très bas au-dessus de moi, tellement bas que je plonge la tête et me retrouve à quatre pattes sur le sentier. Et puis elle prend de la vitesse dans de grands battements d'ailes. Lentement, plus lentement que j'aurais jamais pu imaginer l'ascension d'un oiseau, le voilà qui grimpe dans le ciel. Ses larges ailes déchirées montrent combien il est dur de voler. Durant tout ce temps j'ai retenu mon souffle, parce qu'il a bien failli ne pas y parvenir.

« Un héron ! Tu as vu ? » me crie Richard de l'autre côté du pré. Il a coupé à travers champs, comme moi, n'importe qui a pu le voir arriver. Il monte ensuite à grandes enjambées en s'épongeant le front. « Tu as vu ça ! Il doit tout de même y avoir des poissons dans cette rivière.

— Ça m'étonnerait, dis-je en scrutant les profondeurs vertes et empoisonnées.

— Seigneur, qu'il fait chaud ! » Il regarde autour de lui, comme je l'ai fait, et remarque qu'il n'y a ni ombre ni abri, comme je l'ai constaté aussi. Marcher l'a épuisé. Je m'aperçois soudain, froidement, combien son poids et son âge le ralentissent. Il se laisse tomber lourdement à côté de moi, et bien que j'aie envie de continuer à dessiner je pose mon crayon. Il fait trop chaud pour que je veuille le toucher. A mon avis il ressent la même chose.

« Parfois, j'ai l'impression que c'est le trou du cul du monde ici, dit Richard.

— Je vois ce que tu veux dire.

— Mais Isabel adore. »

Au-delà de l'eau polluée nous fixons les prés d'en face qui cuisent au soleil.

« C'est infernal, ajoute Richard. Marchons un peu. Ça ne peut pas être pire que de rester assis ici. »

Nous avançons l'un derrière l'autre vers le coude de la rivière. Devant nous d'autres coudes filent vers la mer entre des prés sans relief. A l'extrême droite on aperçoit un bâtiment en ciment qui ressemble à une sous-station électrique. Et au loin les Downs qui rôtissent, pratiquement cachées par les brumes de chaleur.

« Tu as envie de continuer à marcher ?

— Pas vraiment. »

Il rit. « C'est terrible, non ? Qu'est-ce qu'on fiche ici ?

— Je dessinais.

— C'est tout de même mieux que d'être dans la maison. » Je le regarde. J'ai l'impression que c'est la chose la plus intime qu'il m'ait jamais dite.

« Comment ça se passe, là-bas ?

— Isabel se languit d'Edward.

— Il y a à peine quatre heures qu'il est parti.

— Je sais bien. Mais elle a besoin de quelqu'un avec qui papoter. Elle n'est pas trop dans son assiette en ce moment. »

Nous passons sous silence le fait qu'elle ne parle à aucun de nous deux.

« Et Susan s'est barrée pour aider sa mère avec cette histoire de Jeunes Fermiers.

— Quoi ?

— Elle est à la ferme. Pourquoi, qu'est-ce qu'il y a ?

— Tu veux dire en ce moment même ? Elle y est, en ce moment ? Elle n'est pas avec Isabel ? »

J'ai pivoté pour faire face à Richard. Mes mains sont posées sur ses coudes, les agrippent. « Tu veux dire qu'Isabel est toute seule ?

— Susan est seulement passée faire un tour à la ferme. Elle reviendra vers 17 heures. Isabel a le bébé avec elle, elle n'est pas vraiment toute seule.

— Le bébé est avec Isabel ?

— Nina, pour l'amour du ciel, bien sûr qu'il est avec elle. *Qu'est-ce que tu as ?* »

La chaleur se déverse sur ma tête.

« Elle est partie quand, Susan ?

— Je ne sais pas, en même temps que moi. Oui, je l'ai vue partir. Nina, qu'est-ce qui se passe ? Isabel va bien. Sinon je ne l'aurais pas laissée seule. Nina ! Où tu vas ? »

Je me rue le long de la rive en direction du pré.

« Nina !

— Il ne faut pas la laisser seule ! C'est trop tôt ! »

Voilà ce que je lui crie. Entre Isabel et moi il y a trois prés en plus du jardin. Je m'élance.

Je suis plus rapide que Richard. Je jette un coup d'œil en arrière et je vois qu'il me suit, martelant le sol desséché, mais je cours plus vite. Il faut que j'arrive là-bas la première, avant que quiconque ne voie. Dans mes sandales mes pieds glissent sur leur propre sueur. Je halète, mais je sais que je peux courir sur une distance beaucoup plus grande. Je grimpe sur le premier échalier et retombe sur le chemin. Le plus court serait de couper à travers prés. Si elle regarde par la fenêtre et qu'elle me voit arriver en courant comme ça, alors elle attendra. Elle restera debout, là, à regarder, distraite, se demandant ce qui se passe. Je tends un bras en l'air et agite la main comme une folle en direction d'une Isabel invisible. *J'arrive ! Reste là, ne bouge pas. Ne fais rien.*

J'ouvre la petite porte d'un coup. Le jardin est silencieux, il marine dans la chaleur et les odeurs. Le long des allées les haies fouettent mes jambes. Puis je prends sur le côté et pénètre dans la cuisine sombre qui sent le renfermé. Personne. La porte de derrière est ouverte, la pendule tictaque. Je traverse le couloir et monte l'escalier en bonds silencieux et impatients. Elle est là. Il le faut. Je tends l'oreille, mais je n'entends rien. La maison est tranquille, comme si tout le monde avait cessé de respirer. Puis je l'entends chanter. J'entends sa jolie voix, ténue mais douce :

Mon père était un prêcheur
Mon père était un voleur
Il y a du lierre tout partout
Combien d'heures dort un bébé
Il y a du lierre tout partout...

Je la connais bien, cette chanson, elle est logée dans

mes tripes, comme toutes celles qu'Isabel m'a chantées autrefois. Elle recommence.

Mon père était un prêcheur...

Et toutes ces soirées d'été bercées par les chansons d'Isabel me tombent dessus. Je respire un bon coup. J'ai chaud, je tremble de chaleur même. Dans la chambre j'entends Isabel bouger, la chaise craquer, ses pas légers sur les lattes nues...

J'ouvre la porte. Le berceau est vide.

« Où est le bébé ?

— Le bébé ? » Isabel ouvre de grands yeux. Je vois le bout de ses cils s'écarter largement. Son regard est aussi clair qu'une rivière de contes de fées. « Il est dans la chambre de Susan, bien sûr. Et il dort à poings fermés. Surtout ne va pas le réveiller. Ça m'a pris des heures pour l'endormir.

— Oh, je croyais que tu lui chantais quelque chose.

— Jamais de la vie !

— Si. Je t'ai entendue.

— Et quoi, alors ? Je chantais quoi ? »

Je pince les lèvres. Je déteste chanter, même quand je suis seule. Isabel savait, elle, moi pas. « Tu chantais *Combien d'heures dort un bébé.* »

Isabel rit. « Ça fait des années que je n'ai plus pensé à cette chanson, Neen. » Son visage tendu se relâche lentement. « Mais tu étais où, toi ?

— A la rivière. Je dessinais.

— Je sais. Je t'ai vue partir.

— Richard aussi ? Il est venu en croyant qu'il ferait plus frais là-bas, mais c'était plutôt le contraire.

— Oui, je l'ai vu. » Elle se tourne et tire sur sa robe. « Seigneur, regarde-moi ça. Je suis à nouveau trempée de lait.

— Ça devrait bientôt s'arrêter, non ?

— D'après Susan, oui. Et elle sait de quoi elle parle, bien sûr.

— Bien sûr. » Nos regards amusés se croisent.

« Pourquoi elle n'en fait pas un ? interroge Isabel, pourquoi elle n'en fait pas un, bon sang ?

— Probablement pour les mêmes raisons que moi, parce qu'elle n'en veut pas.

— Mais si, tu en veux un, Neen, bien sûr que si ! s'exclame Isabel d'une voix charmeuse en épongeant le lait qu'elle a sur elle.

— Je vais faire du thé. Il y a des beignets à la crème au frigo. Tu en veux ? »

Isabel lève les yeux et ils frôlent les miens sans s'attarder. « Neen. En descendant, jette un œil sur le bébé pour moi. Juste pour vérifier qu'il va bien. »

La sueur de ma course me refroidit d'un coup. Je suis emmêlée dans son chant, emmêlée dans des mots que j'ai déjà entendus, dans des choses qui ont eu lieu autrefois et qui ne devraient plus se reproduire. Elle sait sûrement ce qu'elle dit. Insouciantes et proches, voilà l'impression que nous donnons. Deux sœurs dans une chambre. *En descendant... juste vérifier qu'il va bien... va voir le bébé, Neen. Va donc voir le bébé.*

20

Lentement, très lentement, j'ouvre la porte de la chambre de Susan. Je ne fais pas de bruit. Les rideaux pâles sont tirés, et la pièce a l'odeur des nouveaux meubles en pin et du bébé endormi. Il est tout rose à cause de la chaleur, ses cheveux sont mouillés et son poing est appuyé contre son visage. Il dort en chien de fusil, et Isabel a posé une serviette roulée à côté de lui pour qu'il ne puisse pas se retourner sur le ventre. Je me glisse tout près du berceau. Son poids creuse le matelas. Il m'a l'air plus solide qu'avant. Déjà il change, se remplit, et c'est fou ce que ce poing près de son visage semble mature. Il dort paisiblement dans l'épaisse lumière jaune qui filtre à travers les rideaux de Susan. Toutes mes peurs s'envolent. Il va bien, parfaitement bien. Je me suis imaginé des choses.

Richard est au bas de l'escalier, les yeux levés vers moi.

« Pourquoi tu as filé comme ça ? Je n'ai pas pu tenir ton rythme. »

A mon avis il n'a même pas essayé. Et il a dû attendre là-bas pendant un bon moment parce qu'il n'est plus essoufflé. Je me demande pourquoi il ne m'a pas suivie à l'intérieur. Peut-être qu'il ne voulait pas nous déranger, Isabel et moi, mais j'en doute.

« Elle est beaucoup plus solide que tu ne crois, tu sais, me dit-il.

— Elle était seule à la maison et ça m'a inquiétée. C'était ridicule. »

Je suis debout sur la première marche et nos yeux sont presque au même niveau.

« Tu penses plus à elle qu'elle ne pense à toi, dit Richard.

— Qu'est-ce qui te fait dire ça ?

— Je vois les choses de l'extérieur.

— Tu as tort. Isabel a toujours été... » Mais c'est difficile de trouver les mots pour expliquer ça.

« Je crois que tu ferais bien de prendre tes distances. »

Il est on ne peut plus sérieux.

« Comment tu peux dire ça ? C'est ma sœur, elle s'est toujours occupée de moi.

— Vraiment ?

— Richard, comment tu peux parler comme ça d'Isabel ? C'est ta femme, ma sœur.

— Ça n'a rien à voir avec mes sentiments pour elle. Je la connais très très bien. Je la connais même bien mieux que toi. Et je ne crois pas que vous vous fassiez du bien, l'une et l'autre. Isabel sait ce qu'elle veut, Nina.

— Et moi pas ?

— Non. Tu ne t'y autorises pas. Tu passes la moitié de ta vie à rêver. »

C'est l'économiste qui parle, l'homme de la réussite. L'objectif est sur moi et il va zoomer avant. En guise de diversion je bredouille : « Je vais faire du thé pour Isabel. Le bébé dort, elle va en profiter pour se reposer. »

Dans la cuisine, rapide et affairée, je pose du lait, des tasses et des assiettes sur un plateau. Puis je sors trois beignets du frigo.

« Tu en veux un ?

— Pourquoi tu donnes ça à Isabel ? Elle n'en voudra pas, tu le sais bien. »

Je dépose le beignet d'Isabel sur l'une des assiettes. Il est gonflé et léger, couvert d'un glaçage de gribouillis blanc et marron.

« Je vais le manger, dit Richard en tendant la main.

— J'en ai acheté d'autres, un pour chacun. Le tien est dans le sac.

— Mais tu sais bien qu'elle ne...

— Peut-être qu'elle en voudra. »

La bouilloire siffle et je verse l'eau dans la théière. Richard met sa main au creux de mon genou. « Merde, Richard, l'eau est brûlante.

— Je sais. Mais ta poigne est ferme, je t'ai vue faire. » Sa main remonte vers le haut, le long de mes cuisses, sous mon short. Je pose la bouilloire de ma poigne ferme mais ne me retourne pas. « Je reviens, dis-je. Je n'en ai pas pour longtemps. Je vais juste porter ça à Isabel.

— Elle ne couche plus avec moi, tu sais.

— Ça m'étonnerait. Comment elle serait tombée enceinte d'Antony sinon ?

— Oh, ça n'a pas pris longtemps. Elle s'est arrangée pour que le premier essai soit le bon.

— Tu n'as pas besoin de me raconter tout ça. Je m'en fiche.

— Parce que ça n'a aucun rapport ? C'est comme ça que tu vois les choses ?

— Je ne vois rien.

— Non, effectivement. On n'a pas besoin de penser ni de parler. Tout se passe dans le noir. Eh bien, toi ça te convient peut-être, mais pas moi.

— Alors, enlève ta main si ça ne te plaît pas. »

Mais sa main serre plus fort ma cuisse. « J'adorerais que tu sois nue pour faire la cuisine.

— Avec un petit tablier peut-être ?

— Je ne suis pas aussi pervers que ça.

— Qu'est-ce que je cuisinerais ?

— Je ne sais pas. N'importe quoi. Tu serais occupée à remuer, couper ou goûter. Tu goûtes toujours quand tu cuisines, non ?

— Difficile de faire autrement.

— Tu aurais une cuillère en bois à la bouche.

— Et toi tu regarderais.

— Oh non, je ferais plus que ça.

— C'est important, la nourriture. Il ne faut pas mélanger ça avec le reste.

— Mais tu le ferais quand même, non ? Tu le ferais, non ? »

Le plateau d'Isabel est bon marché et bosselé. La théière glisse mais je la redresse et ouvre la porte de sa chambre avec mon genou.

« Oh, Neen, du thé, merveilleux ! Attends que je débarrasse la table. » Elle vient d'écrire une énième lettre. J'approche l'autre chaise et m'assieds en face d'elle.

« Tu sucres toujours le thé, Neen ? C'est mauvais pour ta peau.

— J'en ai besoin, après toute cette course.

— Je t'ai vue. Qu'est-ce qui t'a pris, grands dieux ? Tu as filé dans le pré comme une flèche avec Richard qui te courait derrière. On aurait dit qu'il t'avait fait des avances près de la rivière. »

Elle rit.

« Tu sais, Isabel, quand tu as dit qu'on n'allait pas reparler d'hier soir, de notre conversation ?

— Ça veut dire qu'on n'en reparlera plus, répond-elle vivement. Je te l'ai dit et je m'y tiens. » Cette fois-ci on dirait une déclaration solennelle.

« Oui, mais moi, j'ai envie qu'on en parle. J'y ai réfléchi toute la nuit. » Je me penche en avant pour diviser les deux beignets en huit quarts à l'aide d'un couteau pointu. Je les coupe avec une infinie précaution afin que la crème n'écrase pas la pâte. Isabel cherche son paquet de cigarettes à tâtons sur la table, en sort une sans regarder et l'allume. Je connais sa façon de fumer quand il y a de la nourriture dans les parages, de manière que la cigarette crée une barrière entre elle et l'assiette. Si elle en a une aux lèvres, elle ne peut pas mettre autre chose dans sa bouche. Je verse le thé.

« Et pourquoi as-tu envie d'en parler ? me demande-t-elle.

— Je viens juste d'aller voir Ant. Il était endormi. Il avait l'air tellement...

— Paisible.

— Non. Ce n'est pas le mot. Je ne sais pas comment le décrire. Il avait l'air *là*. Solide. Vivant à 100 pour cent. Et je me suis dit que Colin avait dû lui ressembler. Il est mort depuis tellement longtemps que je pense à lui comme s'il n'avait jamais existé. Mais c'est faux. Il a dû être solide lui aussi. »

Isabel tire fort sur sa cigarette. « Et alors ?

— J'y ai réfléchi et j'ai du mal à croire que même à quatre ans je n'aie pas senti la différence. Entre ce que l'on peut faire à une poupée et ce que l'on peut faire à un bébé.

— Mais Colin est mort. » Je regarde les traces de lait bouger sur sa robe au rythme de sa respiration rapide.

« Oui. Mais peut-être pas comme ça.

— Je l'ai vu. Je sais comment ça s'est passé. J'avais sept ans, souviens-toi.

— Il pouvait s'agir d'un accident. »

Isabel soupire et ses épaules s'affaissent. Elle baisse les yeux vers l'extrémité de sa cigarette puis elle les relève. « Je suppose... je suppose que oui. » Elle fronce les sourcils, réfléchit. Il y a un peu plus de couleur sur son visage à présent.

« Je m'en souviendrais, si je l'avais tué. » Les mots font irruption dans la pièce comme du vomi et Isabel sursaute. « Ne dis pas ça.

— Mais si ce n'était pas un accident c'est la seule explication, non ? C'est moi qui l'ai tué. Tu en vois une autre ?

— Alors c'est pour ça que tu es revenue en courant, lance Isabel. Tu t'es dit : "Si ça a pu arriver à Colin sans raison, ça pourrait aussi arriver à Antony." Hein ? Tu avais peur. Tu étais essoufflée quand tu es entrée. »

Je la regarde. Une fois de plus Isabel a pris un événement qu'elle a transformé en vérité autre et incontestable. « Oui, je suppose que c'était pour ça.

— Mais je suis sûre d'avoir vu ce que j'ai vu, continue Isabel en fronçant un peu plus les sourcils.

— Il n'y a pas que ce que l'on voit, si ? Il y a aussi ce que l'on en fait. Les choses, il faut les interpréter. »

Et puis ça me revient. Non seulement je le vois, mais je vois et je sais. Les jambes de Colin bougeaient. Ses jambes nues, violettes, sans force, battaient contre le matelas alors qu'Isabel était penchée au-dessus du berceau. J'ai vu ça. Est-ce que j'ai pu l'inventer, me laisser aller à voir des mouvements là où il n'y en avait pas ? Ai-je pu être tellement horrifiée par mon geste que non seulement je me le suis caché pour toujours, mais j'ai aussi inventé une autre scène où c'est Isabel qui est penchée sur le bébé, un bébé bien vivant qui se débat, à demi caché par son corps ? Ai-je construit ces images dans ma tête l'une après l'autre ? Isabel était près du berceau pendant que je regardais depuis le pas de la porte. Puis elle s'est penchée, et elle a appuyé.

J'ai pu tout inventer. J'en serais bien capable. Comment découvrir ce dont je suis capable ? Je dévisage fixement ma sœur mordorée.

« Ne t'inquiète pas, Neen. Il n'y a pas de problème. »

Isabel me regarde comme si nous nous étions tout dit. Je me sens emprisonnée, dépassée. Je ne sais rien et je ne peux pas me fier à ma propre mémoire. Isabel est tellement sûre d'elle.

« On n'a jamais été très heureux, tu sais, me confie-t-elle.

— Quoi ?

— Richard et moi. Ça fait longtemps que c'est difficile. »

Je tourne cette phrase dans tous les sens. « Richard et toi ? »

Elle hoche la tête et je la crois. Le mystère d'Isabel et Richard faisait partie de mes références. Voilà comment on pouvait vivre si on rencontrait la bonne personne. Je croyais même qu'ils cachaient leur joie pour la protéger du monde extérieur. Eux étaient adultes, ils savaient comment fonctionnait la vie.

« Non, ça n'a jamais très bien marché entre nous. » Elle me regarde droit dans les yeux, dédaignant tout le reste. « Et maintenant je ne supporte plus tout ça. Je ne supporte plus sa présence. »

Elle écrase sa cigarette. « Ils sont bons ces beignets, Neen ?

— Géniaux. Vraiment légers, pas gras du tout. »

Isabel hésite. Je sens qu'elle a envie, mais je ne sais pas de quoi. Y a-t-il jamais eu un moment, autrefois, avant qu'elle s'entraîne à ne pas avoir faim où nous sommes restées plantées côte à côte devant la vitrine du pâtissier et où nous avons tendu le doigt vers les millefeuilles, les babas et les éclairs ? Y a-t-il jamais eu une époque où nous avons toutes deux regardé jalousement l'ananas en boîte que l'on divisait, morceau par morceau, jusqu'à ce que le contenu de nos bols soit exactement égal ? « Vas-y, dis-je. Tu sais bien que tu as faim. »

Isabel tend sa longue main délicate. Elle prend un quart du beignet glacé et le tient comme si c'était une sauterelle. Sa main tremble légèrement lorsqu'elle bouge le poignet, approche le beignet de sa bouche, en prend une bouchée puis mâche. Au bout d'un petit moment, avec peine, elle avale.

« Délicieux », constate-t-elle, les larmes aux yeux.

Je cueille un autre morceau sur l'assiette. « Heureusement que c'est le dernier. Je pourrais me goinfrer avec ces trucs-là.

— Tu as de la chance, toi, dit Isabel, tu peux manger tout ce que tu veux. »

Nous buvons notre thé et, en dépit de tout, cela fait longtemps que nous n'avons pas été aussi détendues l'une avec l'autre. Isabel n'allume plus de cigarettes. Son bout de beignet est posé sur l'assiette et la crème fond en une mare jaune. Les manchettes de son chemisier rouge pâle pendent sur ses poignets minces. Elle fait tourner une bague au petit doigt de sa main droite, une bague turquoise et argent qu'elle avait achetée au Cachemire bien avant de rencontrer Richard. Elle m'avait rapporté un bracelet de cette même turquoise, avec des chaînons argentés qui ont noirci une fois que je l'ai eu porté.

« Mais il y a le bébé, lance soudain Isabel après une succession de pensées toutes personnelles.

— Ça va peut-être améliorer les choses.

— Le problème c'est que les hommes ont besoin de rapports sexuels. »

C'est tellement bizarre à dire, et ça lui ressemble tellement peu, mais, en même temps, c'est tellement authentiquement isabelin que je souris. Elle rougit un peu.

« C'est vrai, dis-je.

— Moi j'en ai pourtant pas besoin, pas vraiment, et toi ? On s'habitue vite à ne plus en avoir. Je me souviens de m'être dit la même chose pour la nourriture. Tous ces gens qui croyaient qu'il leur en fallait sans cesse sinon ils en mourraient, toujours en train d'y penser, d'en parler, d'aller en chercher dans les magasins et puis de s'asseoir pour mâchouiller alors que ce n'était vraiment pas nécessaire. L'univers entier excité par une chose dont on pourrait se passer ! J'avais envie de crier et de balancer la vérité à la tête de tout le monde.

— Mais tu ne l'as pas fait.

— Oh non, répond Isabel, c'est le genre de choses qu'on garde pour soi, non ? »

Elle sourit, un vrai sourire en courbe, comme si nous étions des conspiratrices. Je me souviens du jour où elle m'a lancé que le catéchisme était de la connerie, me libérant pour toujours de l'envie de m'incliner devant quoi que ce soit.

« Pas la peine de t'inquiéter pour Richard, lui dis-je, il y a plein de gens qui aiment faire l'amour.

— C'est bien ce que j'espère.

— Ne t'inquiète pas pour lui. Il trouvera. »

Un mot de plus serait un mot de trop. Nous planons au bord de l'indicible, coincées comme nous l'étions autrefois dans les histoires que nous inventions pour Rosina et Mandy. Elles changeaient tout le temps. C'était ça qui était super avec les poupées. Si l'histoire ne collait pas, on pouvait effacer leur passé. Tout à coup je me rappelle comment Isabel avait décidé un été que Rosina avait de longs cheveux de jais.

« Ça veut dire quoi, de jais ?

— Noirs.

— Mais Rosina a les cheveux blonds !

— C'est pas grave. Maintenant, ils sont de jais, avait rétorqué Isabel en s'emparant de leur brosse à cheveux.

— C'est vrai ?

— Bien sûr que oui. Ça fait partie du jeu. Maintenant répète : *Est-ce que tu vas brosser les cheveux de jais de Rosina ?*

— Est-ce que tu vas brosser les cheveux de jais de Rosina, Isabel ? »

J'avais jeté un coup d'œil à la poupée. Et sur ses cheveux raides et épais, vigoureux et blonds, j'avais cru déceler une vague lueur noire.

« Tant que Richard est content, ça ne me dérange pas, dit Isabel.

— Tu as envie de rester avec lui.

— Oui, pourquoi pas ?

— Pourquoi pas en effet. »

Je redescends avec les tasses vides et la théière qui s'entrechoquent sur le plateau. Il est 17 h 30. La plage de sécurité touche à sa fin : le premier train qu'Edward pouvait prendre arrivait à 17 h 15. Mais même s'il l'a pris, il lui faudra appeler un taxi de la gare, et il ne sera pas rentré avant un petit moment. Il y a aussi Susan, qui doit revenir de la ferme à pied, à travers prés. Elle ne devrait pas être là tout de suite.

Richard coupe des tomates dans un bol.

« Tu ne les as pas pelées.

— Pas la peine.

— C'est pourtant ces petits détails qui font toute la différence.

— Sans aucun doute. » Il repose le couteau. « Tu en as mis du temps.

— On papotait.

— Tu veux aller dans le jardin ?

— Non. » La main d'Isabel est posée sur moi. Sa permission me glace. « Non, je ne vais pas...

— Je vois. » Il continue de couper les tomates d'un geste expert, le visage fermé.

« Non, tu ne vois pas. Tu ne vois rien. » Je lui enlève le couteau des mains.

Pas le jardin, c'est le domaine d'Isabel. Mais la cuisine, ici, avec le jus qui coule du couteau et la crème qui tourne, c'est le mien. La porte qui mène au couloir est à demi ouverte, celle de derrière aussi. Mais il n'y a rien nulle part hormis la tranquillité morte de l'après-midi finissant. J'enlève mon tee-shirt.

« Qu'est-ce que tu fabriques ?

— Tu le vois bien.

— Seigneur, Nina. Isabel peut descendre d'un moment à l'autre.

— Mais non.

— On ne va pas s'allonger par terre. Regarde-moi toutes ces saletés

— On n'a qu'à faire ça debout contre le fourneau alors.

— Il est éteint ?

— Bien sûr que oui. »

Nous nous penchons ensemble. Il n'y a pas de temps à perdre mais je suis lente et presque molle. Je veux tout faire comme si c'était la première fois. Déboutonner chaque bouton et les faire glisser hors de leur petit nid cousu. Retirer sa chemise. Me coller contre sa poitrine. Plonger dans l'épaisseur de sa chair et sentir mon cœur cogner sourdement comme si je courais toujours à travers prés. Je ferme les yeux.

Il me remet droite. « Nina, rhabille-toi, j'entends une voiture. »

Je me baisse, ramasse mon tee-shirt jeté à terre, l'enfile et me relève, tout étourdie. Le moteur de la voiture s'est arrêté et on entend des voix.

« Edward. »

Nous nous écartons l'un de l'autre. Richard s'attable et prend le couteau. J'ouvre le robinet d'eau froide à fond et pose une casserole en dessous du jet bruyant. L'eau rebondit sur le métal nu et m'éclabousse. Le moteur de la voiture vrombit à nouveau et des pas crissent, s'arrêtent, crissent à nouveau et passent devant la porte de la cuisine.

« Il entre par le jardin. »

Nous nous regardons et je coiffe mes cheveux vers l'arrière d'une main mouillée.

« Il va rester ici jusqu'à ce que je rentre à Londres. Et il ne va pas nous laisser seuls, dis-je.

— Tu crois qu'il a deviné ?

— Il sait.

— Hein ? » Le visage de Richard est tendu, concentré. Voilà à quoi il doit ressembler au travail, en économiste qui évalue les perspectives de croissance d'une économie instable.

« Mais il ne dira rien. Je suis sûre que cette situation lui convient. Il a Isabel pour lui tout seul. Comme ça ils peuvent passer des heures à papoter dans la chambre sans qu'on les dérange.

— Difficile d'être absolument sûr. Il ferait n'importe quoi pour elle. »

Et moi, de quoi suis-je capable ? Les limites bourdonnent et remuent dans ma tête. « Je retourne à Londres demain », dis-je, comme si c'était prévu de longue date. Je guette le minuscule rétrécissement de ses pupilles sur son visage impassible, signe d'une déception qu'il ne saurait cacher.

21

« Je veux qu'on fasse une fête », lance Isabel. Nous nous détournons tous : Richard de son journal et Edward du sol où il assemble le mobile qu'il a acheté à Londres pour Antony. Je lève les yeux du pain grillé sur lequel j'étalais de la confiture de cerises. Il fait déjà trop chaud, bien qu'il ne soit encore que 8 h 30, et l'on s'achemine vers les 34 degrés prévus pour la journée. Toutes les fenêtres sont ouvertes. Il faisait trop chaud pour dormir et le bébé a hurlé de 2 à 4. J'ai tendu l'oreille et guetté la pluie, comme je le faisais autrefois pour la mer. Le sol est dur et tendu comme un tambour. J'ai passé la nuit à entrer et sortir du sommeil et j'avais mal partout quand je me suis réveillée. Cette matinée s'annonce oppressante. « Une fête ?

— Oui. Je n'arrivais pas à dormir à cause de la chaleur et j'ai passé la nuit à y réfléchir. On devrait organiser quelque chose avant que vous ne partiez. On n'aura jamais plus un été pareil, avec vous tous réunis ici. Susan s'en va bientôt, alors je me suis dit qu'on l'inviterait aussi, avec Margery. Mais personne d'autre, personne de Londres. Juste nous. »

La ride entre les yeux d'Isabel s'est muée en un profond sillon. Elle nous regarde l'un après l'autre, ses yeux sont très brillants. Je crois que si je la touchais maintenant, elle ferait des étincelles. « Tu ne trouves pas que c'est une bonne idée ?

— Quel genre de fête ? » demande Richard.

Je comprends sa question, mais c'est à une autre qu'elle répond. « Un dîner. On mangera dehors, sur la terrasse. On sortira la grande table et on accrochera des lanternes dans les pommiers pour nous éclairer dès la nuit tombée. Il y a cette nappe blanche que ta mère nous a donnée, Richard, celle en lin avec le lierre dessiné dessus. Et le chandelier à trois branches. Avec ce temps les bougies brûleront aussi bien dehors que dedans.

— Ça va faire beaucoup de travail pour Nina, dit Richard en me regardant. Ce saumon t'a pratiquement pris la journée, non ?

— Elle ne sera pas seule, lui répond Isabel sèchement. On s'y mettra tous. Chacun choisira un plat qu'il préparera.

— Une fête de famille ! » lance Edward. Impossible de dire si le ton de sa voix est jovial ou ironique. Je commence à aimer l'idée malgré moi, et à imaginer ce que ça pourrait donner. La table chargée, la nappe couverte de bouteilles et de fleurs, le crépuscule bleuté et puis les bougies. Une fête pour mettre un point final à tout ce qui s'est passé ici et nous libérer les uns des autres. Une fête qui donnera une forme et un nom à notre confusion. Mais j'avais l'intention de rentrer chez moi aujourd'hui, et il fait tellement chaud. La peau me gratte à l'idée de toutes ces courses à faire et de la voiture qui va cuire dans ses gaz d'échappement sur des routes pleines de gens désespérés d'atteindre la mer.

Richard se dirige vers la fenêtre. « On dirait qu'il va y avoir de l'orage, fait-il remarquer, comme si ça n'avait aucun rapport avec les projets d'Isabel.

— Il ne pleuvra pas. Ça fait des semaines que c'est comme ça, rétorque-t-elle vivement.

— Regarde-moi ces nuages là-bas. »

On dirait qu'on a dessiné des formes dans le ciel avec un stylo métallique. Ils sont à peine esquissés et massés au loin.

« C'est rien, explique Edward. Il ne va pas pleuvoir, la météo a annoncé qu'il ferait même encore plus chaud cet après-midi. On va battre tous les records. Vous savez que c'est l'été le plus chaud depuis deux cents ans ?

— On a besoin de pluie, dit Richard.

— Qu'est-ce que tu en sais ? Tu passes la moitié de ta vie en avion, réplique Isabel.

— On voit beaucoup de choses de là-haut.

— Alors, elle va avoir lieu quand, cette fête ? demande Edward.

— Je pensais qu'on ferait ça ce soir. On aura tout le temps, si chacun décide maintenant ce qu'il va préparer et qu'ensuite, toi, Richard et Nina allez faire les courses. Il vous faudra aller à Brighton pour tout trouver. Si toi et Richard vous sortez d'abord les tables et les chaises, Susan pourra les décorer pendant votre absence. Je veux des fleurs partout, du lierre et des feuilles de vigne. Je m'occuperai du bébé.

— Tu es sûre d'être suffisamment en forme pour tout ça, Isabel ? Tu sais à quel point tu es fatiguée », s'inquiète Richard. Mais elle est enfiévrée, électrique. « Bien sûr que ça va. Au moins je ferai quelque chose, au lieu de rester assise à attendre que le bébé pleure.

— C'est une idée géniale », affirme Edward en se levant. Il a assemblé l'armature du mobile et tend la main pour l'accrocher au dos de la porte. « Il faudra mettre un crochet au plafond, Isabel, au-dessus du berceau. »

Dans la boîte il y a des dizaines de poissons bleus en bois. Edward les sort l'un après l'autre et les enfile. Le mobile sera une énorme cage remplie de poissons.

« Combien il y en a ? demande Richard.

— Quarante.

— Ça va prendre la moitié de la pièce ! Il ne pourra plus voir le ciel.

— C'est superbe, déclare Isabel.

— En voilà un qui va grandir en croyant que les poissons volent, dis-je.

— Et c'est grave ?

— Plutôt. Quelle vision du monde va-t-il avoir, cet enfant ?

— Elle ne pourra pas être pire que celle qu'on nous a donnée », répond Isabel. Ses doigts jouent avec un poisson sec et léger. Ceux que nous voyions s'agiter au fond des bateaux de pêche dans notre enfance n'étaient pas comme ça. Ils avaient du poids, et du muscle. Ils glissaient quand on les attrapait, leur sang était vif, comme du sang humain, et leurs yeux donnaient l'impression de vous regarder. Les bons jours, on pouvait acheter un sac entier de harengs pour un shilling. Nous en mangions beaucoup.

Le mobile est un enchevêtrement de bois et de fils, mais Edward s'en sort avec une belle assurance. Nous le regardons tous à présent, de cette manière qu'ont les gens de regarder quelqu'un travailler de ses mains. Isabel prend un autre poisson. « Là, dit Edward en tendant le doigt, tu glisses le fil dans le petit crochet. » Le fil est en plastique, invisible de l'endroit où je suis, mais Isabel noue du rien au rien et voilà le poisson qui pend.

« Ça va vous prendre des lunes, dit Susan en entrant avec Antony, qui a fini par s'endormir, le visage rouge et gonflé.

— Pas tant que ça. »

Isabel et Edward travaillent en équipe et je me demande si je suis la seule à remarquer leur ressemblance. Je regarde leurs doigts effilés, leurs visages fins et concentrés. Ils pourraient être frère et sœur. Ils se ressemblent tellement plus qu'Isabel et moi. A côté d'eux Richard et moi avons l'air de paysans. Lui aussi les observe, alors qu'ils construisent le mobile pour son fils.

« On va finir ça, dit Edward, et puis on préparera cette soirée. Il faudra de la musique. Tu te sens suffisamment bien pour danser ?

— Si c'est lent, oui, répond Isabel.

— Qu'est-ce qui se passe, ce soir ? demande Susan.

— On va faire une fiesta, lui répond Richard dont la voix et le visage sont dénués d'expression.

— Pas une fiesta, une fête, le reprend Isabel, la bouche pleine de fils.

— C'est quoi, la différence ?

— Une fiesta est ouverte à tous. Alors que là ce sera entre nous.

— Bon, j'ai compris, je rentrerai chez moi, rétorque Susan, l'air pincé.

— Mais pas du tout, Susan ! Ce n'est pas du tout ce que je voulais dire. Tu restes. C'est un ordre. S'il te plaît. Ce ne serait pas la même chose sans toi. »

Isabel tend la main vers Susan, suppliante, et celle-ci fond immédiatement. Elle viendra, bien sûr qu'elle viendra, sa mère aussi. Et maintenant il nous faut réfléchir à ce que nous allons préparer.

« Je veux six plats, lance Isabel.

— Mais on ne peut pas avoir six plats de n'importe quoi. Il faut s'arranger pour qu'ils se marient entre eux. » C'est tellement évident qu'on ne devrait pas avoir à le dire.

« Ce sont des plats séparés de toute façon, donc ce n'est pas très grave », réplique Isabel en tournant son beau visage obstiné vers moi sans vraiment me regarder. Est-ce bien la peine de lui expliquer l'essence d'un repas, les pauses, les minuscules répétitions, les goûts contrastés, la montée crescendo à partir de la première note puis le decrescendo ensuite ? Isabel ne pensera à rien de tout cela. Elle ne réfléchira ni aux couleurs ni aux textures, parce qu'elle s'en moque.

La nourriture a été reléguée dans un petit recoin de son esprit. Six plats : un pour chacun sauf Antony. Pourquoi le compterait-on ? Pourtant, s'il doit y avoir une fête, que célébrer à part sa naissance ? Je pourrais faire un gâteau et un glaçage avec son nom dessus.

Personne n'a demandé à Isabel pourquoi elle voulait une fête alors qu'elle ne touchera à rien. Cette maison est figée par le non-dit. Lorsque nous sommes rassemblés dans la même pièce, notre conversation ressemble plutôt à un échange codé. Mais qui a décidé du code ? Et qui nous oblige à l'utiliser ?

« Tu t'en vas quand, Nina ? me demande Richard devant tout le monde.

— Je pensais partir aujourd'hui, mais maintenant je vais attendre jusqu'à demain.

— Tu vas me manquer, Neen, dit Isabel avec un petit sourire à la ronde. C'était chouette de t'avoir ici aussi longtemps. »

Elle est très tendue. Elle tire trop fort sur un fil en plastique qui se casse mais Edward fait un nœud invisible et tout s'arrange. Elle s'accroupit de nouveau, cligne les yeux et essuie ses mains mouillées de sueur. « Je n'y arrive pas, Edward », lance-t-elle, la voix blanche de détresse. Puis on dirait qu'elle se reprend. « Ça me fait mal aux yeux. Nina, tu as réfléchi à ce que tu vas nous concocter ? »

Je n'ai pas réfléchi mais ce n'est pas nécessaire. Je lui réponds : « Des figues.

— Hein ?

— Oui. Des figues turques noires. On est en plein dans la saison. J'en ai vu l'autre jour. Je préparerai une énorme assiette de figues fraîches, comme ça on en aura autant qu'on veut pour une fois. On pourrait les manger au début du repas, ou alors à la fin, comme ça elles ne gâcheront pas le goût du plat suivant. Je ferai de la crème fouettée pour aller avec, même si je les trouve meilleures sans.

— Tu ne vas pas cuisiner, alors ?

— Isabel, ce sera parfait, je t'assure. Mieux que tout ce que je pourrais cuisiner. Je préparerai autre chose aussi sans doute, mais c'est une surprise.

— Oh ! » Elle se détend. « Donc tu vas quand même nous cuisiner quelque chose. »

Les figues ne lui évoquent rien. Leur papier d'emballage blanc, la peau fragile et veloutée de chaque fruit, la façon dont les graines suintent lentement des fentes creusées dans la chair, la grosseur pulpeuse à la base de la tige. Un jour j'avais acheté des figues sur le marché de Dubrovnik, avant les bombardements. La marchande les avait étalées sur des feuilles et lorsqu'on y regardait de près on découvrait de minuscules fissures semblables à un dallage irrégulier tout en douceur : le fruit était tellement mûr qu'il était prêt à éclater. Tous les matins je mangeais des oranges et des figues accompagnées de café noir et j'ai découvert que ces dernières ne sont jamais d'une seule couleur. Elles sont noires, puis violettes, mais il leur reste toujours un peu de vert, et aux endroits où la peau est plus mince on aperçoit le brun doré de la chair à travers.

Je vois Richard déglutir.

« Et vous autres ?

— Je ferai une soupe de poissons, répond Edward. Si on va à Brighton je connais un bon poissonnier. Une soupe aux crevettes et à l'ail avec de la coriandre. C'est le fumet de poissons qui prendra du temps. »

Nous savons tous deux que c'est facile à préparer, mais ce matin Edward a décidé de marquer des points. « Ou alors il y a un ragoût de poissons galicien que j'ai envie d'essayer depuis longtemps, murmure-t-il d'un ton rêveur, mais il faut faire bouillir de l'huile d'olive et de l'eau pour cuire le poisson, et la cuisson est complexe — si l'émulsion n'est pas comme il faut le poisson se désintègre pendant l'ébullition...

— Prépare la soupe alors.

— Je sais ce que je peux apporter, lance Susan. Ma mère a une sorbetière et elle a préparé des tas de bacs de glace pour les Jeunes Fermiers, tout est au freezer. Il y a de la glace aux groseilles, au caramel, et aussi à la framboise. Je mettrai une boîte de chaque dans un sac isotherme et je les apporterai.

— J'avais pensé faire une salade de fruits », dit Isabel.

Voilà une tradition maternelle qu'elle a conservée. Une masse détrempée de pêches en boîte et de cerises confites dans un sirop incolore, ressuscitée par une centaine de grammes de raisins verts et quelques oranges coupées en tranches. Si ma mère était d'humeur intrépide elle y versait un verre de cognac pour relever la saveur âpre du métal et du sucre. Toujours du cognac à bon marché. Elle était économe, c'était plus fort qu'elle. Mais ce n'est pas Isabel qui fait les courses, et je crois me souvenir d'une recette de mangues et de pêches en tranches avec du citron vert et du sirop au gingembre.

« Ça t'est égal, les fruits qu'on te rapporte, on peut juste acheter ce qui a l'air bon ?

— Oh, prenez ce que vous voulez, répond Isabel. J'ai des tas de boîtes. Je crois même que j'ai des lychees qui traînent quelque part.

— Ça me laisse donc le plat principal à préparer, en déduit Richard.

— Je sais ce que tu peux faire. Ça se mariera parfaitement avec le reste, et ce n'est pas difficile, dis-je. Des légumes grillés avec des couches de semoule et de fromage de chèvre. On prendra des aubergines, des poivrons rouges, des courgettes et des petits oignons. Ça a l'air horrible mais c'est bon. Tu pourrais aussi préparer du taboulé en accompagnement, et du chèvre dans de la pâte à brick.

— Rien ne me sera épargné ! »

Isabel rit. « Bon courage, Richard.

— Bon, voilà ce qu'il faut faire. Tu ne cuis pas la

semoule, tu la laisses tremper pendant dix minutes dans du bouillon en ébullition — ça marche mieux. Il y en a dans le frigo, tu peux y ajouter quelques feuilles de menthe après l'avoir fait bouillir, puis tu l'égouttes à nouveau. Dans la semoule, une pointe de menthe suffit. Il faut épépiner les poivrons. S'ils sont suffisamment doux tu auras ce goût noir et collant de la peau, un peu comme du caramel. Et ça fera aussi ressortir la douceur des oignons. Tout le reste est facile : on achètera la pâte à brick chez le Grec, avec le fromage de chèvre. C'est toujours frais chez lui. Et de grosses olives molles.

— Facile, dit Richard.

— C'est bon, je t'aiderai. Je vais juste noter l'huile d'olive. Ce truc que j'ai pris au village ne vaut rien. Et le pain. » J'écris au dos d'une enveloppe. « Fromage. Champagne. Combien de bouteilles ? C'est moi qui offre.

— Ah non ! réplique Richard. Cette fois-ci tu n'achèteras rien.

— Range ton porte-monnaie, Nina », m'ordonne Isabel.

Nous sourions. Comme les sœurs que nous devrions être au lieu de celles que nous sommes. L'espace d'un instant Edward est l'ami de la famille qui a claqué des sous dans un jouet coûteux pour le bébé auquel il servira d'oncle. Richard est le fier papa qui sort acheter du champagne pour arroser la tête de son premier fils. Isabel est la jeune maman qui a eu des problèmes mais qui reprend du poil de la bête. Et je suis la tante, la belle-sœur, la sœur, l'amie. La cuisinière. Qui on voudra.

« Et voilà, dit Edward. C'est fini. » Il décroche avec précaution le mobile terminé de derrière la porte. Il tient l'armature à l'endroit où les deux morceaux de bois se croisent et il secoue un peu. Les poissons tremblent puis se mettent en place. Les tiges métalliques rebondissent légèrement, les fils bougent de haut en bas, les poissons tressaillent puis commencent à nager dans l'air. Isabel applaudit. « C'est merveilleux, Edward. Je n'aurais jamais cru que ce serait aussi beau. »

De nouveau il y a trop d'émotion dans sa voix, comme lorsqu'elle a supplié Susan, mais Edward ne semble pas remarquer. Il sourit en poussant de nouveau le mobile d'un doigt et tous les poissons se mettent à tourner. On entend un minuscule claquement quand leurs nageoires en bois se touchent. Son visage est fier et concentré.

« Antony va adorer, dit-il, comme si le bébé était une personne avec ses goûts propres.

— Bon, si on doit aller en ville, lance Richard en se levant, on ferait bien de finir cette liste.

— On n'a pas besoin d'y aller tous les trois. Je vais rester avec toi, Isabel », propose Edward. Mais elle se penche en arrière sur sa chaise et ferme les yeux. « Non, vas-y, tu dois aller chercher tous ces ingrédients pour ta soupe de poissons.

— Je peux les leur noter et te tenir compagnie. Il ne faut pas que tu restes seule.

— Je ne serai pas seule, j'ai Susan. Franchement, Edward, j'aimerais autant que tu y ailles. Tu es coincé avec moi depuis ton arrivée. Vous pourriez déjeuner tous ensemble, pendant ce temps j'en profiterai pour dormir quelques heures, sinon après je serai crevée. Susan préparera la table, et elle peut s'occuper d'Antony, hein, Susan ?

— Si vous êtes fatiguée, le bébé peut rester avec moi pendant que je décore la table. Il ne me dérange pas. Et j'appellerai maman, hein, pour ce soir ?

— Je vais l'appeler, moi, propose Isabel.

— Allons sortir cette table, Edward », suggère Richard. Même sa façon de le dire paraît lugubre et masculine. Ils se lèvent et se font face, deux hommes qui ne s'apprécient pas mais qui ont l'habitude de devoir s'entendre. En les voyant comme ça, face à face, je me rends compte à quel point ils ne s'aiment pas. Leurs corps le savent. Ils se mettent en position tels des boxeurs, et il y a déjà des auréoles de sueur sous les aisselles de Richard, avant même qu'ils aient commencé à soulever. Ils sortent ensemble.

« Quelles fleurs je dois ramasser ? interroge Susan.

— Ce que tu veux, répond Isabel. Ramasse tout. »

Elle lui a répondu sans réfléchir et Susan hoche la tête parce qu'elle ne peut pas savoir que jamais Isabel ne dirait ça sérieusement. En fait Isabel déteste ramasser des fleurs pour la maison, même si elle cède parfois à contrecœur et dispose quelques roses sur la table quand il y a des invités. Si l'on coupait deux têtes de phlox blancs de sa plate-bande, Isabel le saurait, tout comme elle sait quelle rose est prête à laisser tomber ses pétales au moindre geste.

« Coupe des dahlias noirs. Et des anémones japonaises, elles sont sorties plus tôt cette année à cause de la chaleur. Elles iront très bien avec les dahlias », suggère-t-elle à Susan. Les dahlias noirs sont rares. Je n'ai jamais vu leurs minuscules fleurs veloutées dans aucun autre jardin. Ils ont des feuilles couleur bronze, et Isabel les a plantés en masse devant un buisson de sauge. On ne les coupe jamais pour la maison.

« Ils sont où, alors ? demande Susan.

— Tu vas jusqu'au cerisier et tu les verras dans la plate-bande à ta gauche, près du mur. Non, tant pis, je les couperai moi-même. Mais prends tout ce que tu veux dans le jardin, Susan. Coupe ce que tu veux », répète Isabel, son regard voilé et ombrageux tourné vers moi. Ses mains pendent près de la couverture matelassée que Susan a étalée pour y déposer le bébé. Elle ne le touche pas tout à fait, mais un centimètre de plus et ses doigts effleureraient ses lèvres.

22

Je suis Isabel dans le jardin. Elle marche devant moi avec souplesse, balançant le sécateur qu'elle tient dans sa main droite. Ses bras à la peau brune sont soyeux sous la lumière matinale. Je veux qu'elle ralentisse, afin de dessiner tous les superbes triangles que font ses pas le long de l'allée. On ne croirait jamais qu'elle ait pu avoir peur de quoi que ce soit. Elle effleure une branche basse de pommier en passant dessous et la soulève en m'attendant.

« Tu me suis ?

— Non, je vais juste...

— Je me sens tout à fait bien. Pas de problème. » Elle lève les yeux vers le ciel. « Il n'y aura pas d'orage ; regarde-moi ce bleu. »

L'allée est couverte de fourmis volantes qui rampent et traînent leurs ailes. On dirait qu'on a donné un coup de pied dans la fourmilière.

« Pourquoi elles ne volent pas ?

— Elles voleront, mais plus tard. C'est comme les anémones, tout sort trop tôt. Et regarde-moi ces pommes. » Elle donne un coup sec sur la branche et cinq ou six fruits encore verts rebondissent dans l'allée.

« Je ne peux pas m'empêcher de leur marcher dessus. »

Les fourmis m'écœurent. Leur long corps de mouche ne semble fait ni pour marcher ni pour voler.

« Je reviendrai tout à l'heure avec de l'eau bouillante que je verserai sur le nid, sinon elles vont envahir la maison, dit Isabel.

— Tu ne vas pas vraiment couper ces dahlias, si ?

— Pourquoi pas ? Ils seront superbes dans un grand vase avec les anémones. Et il y en a suffisamment pour en remplir trois ou quatre en milieu de table. » Elle continue d'avancer, dépasse le cerisier, et voilà le buisson de sauge aux fleurs violettes alourdies par les abeilles, avec les doux dahlias noirs juste en face.

« Je ne les ai jamais vus sortir aussi tôt », dit Isabel. Debout dans l'allée elle contemple la masse de fleurs.

« Ne les cueille pas. Ils sont tellement beaux.

— Tu voulais les dessiner peut-être ?

— Je devrais. Ils sont superbes.

— Tu n'auras pas le temps, dit Isabel. Tu as d'autres choses à faire. » Elle ouvre le sécateur, se penche en avant et commence à couper. Dans un premier temps, elle s'attaque à de longues tiges, mais les laisse tomber par terre au lieu de les ramasser. Certaines restent coincées dans leur chute si bien qu'elle les cisaille deux fois. Les tiges tombent, s'entremêlent et je me penche pour essayer de les rassembler.

« Attention. Je n'ai pas fini. » Je retire vivement mes doigts tandis que le sécateur en acier d'Isabel se referme sur une autre longue tige couleur bronze. « Et voilà, ajoute-t-elle, ça devrait aller. » Mais les fleurs sont tellement abondantes qu'il en reste encore des dizaines. Isabel écarte avec le pied les dahlias coupés afin de pouvoir s'approcher du massif. S'inclinant encore plus près elle commence à cisailler chaque minuscule tête à petits coups de sécateur rapides et brefs.

« Non ! Non, Isabel ! » Mais elle continue. Les têtes

des dahlias tombent sur le sol aride et sur l'allée comme des boutons de velours. Clic, clic, clic, clic. Très vite le massif de dahlias à grandes branches est dépouillé de ses fleurs.

« Et voilà », dit Isabel. Elle est légèrement essoufflée. Elle se relève, épuisée, le sécateur pendant contre sa cuisse. Le soleil brûle comme au travers d'une passoire métallique. On entend un bourdonnement dans l'air et je pense aux insectes, puis à l'orage, mais ensuite nous levons les yeux toutes les deux en même temps et apercevons l'avion, sa longue banderole noire et argent flottant derrière lui. La lune est brodée dessus, ainsi que les étoiles.

Ça dit : « Visitez le Monde Enchanté de Damiano », de plus en plus fort tandis que l'avion nous survole, plus bas qu'il ne l'a jamais fait.

« Il perd son temps, affirme Isabel. Aucun de nous ne va y aller. »

Puis le vrombissement du moteur s'atténue et bégaie. L'avion reprend un peu d'altitude et part survoler les prés inondables en emportant son message avec lui.

« Pourquoi tu as fait ça ? dis-je à Isabel en touchant les fleurs avec mon orteil.

— Comme ça Susan en aura plein pour ses bouquets. » Isabel se baisse pour rassembler les longues tiges. « Tu ne devrais pas y aller ? Richard et Edward t'attendent.

— Izzy, qu'est-ce qui ne va pas ? » Son visage est vide et ses épaules voûtées. On dirait qu'elle tient le rôle d'une petite vieille. « Je n'ai pas envie de te laisser toute seule.

— Je vais parfaitement bien, Nina. » Elle crache les mots en détachant bien les syllabes.

« Et moi je vois bien que non. Tu n'as pas besoin d'être comme ça avec moi. C'est moi, Neen. Ta sœur. Je veux que tu... »

Isabel se frotte le visage d'une main, d'un côté puis

de l'autre. Elle appuie tellement fort que je vois la chair blanchir autour de ses doigts. Quand elle parle, c'est comme si elle s'était effacée elle-même afin de laisser sortir une nouvelle voix. Ou peut-être une ancienne. Ça résonne comme quelque chose que j'ai déjà entendu, que je connais bien. C'est une voix aiguë et douce qui me donne la chair de poule. Une voix d'enfant. « C'est ça que tu veux, Neen ? Très bien alors. Je te promets. » Je la regarde fixement, et la voix tombe goutte à goutte dans le silence. Je ne suis même pas sûre qu'elle sache que je suis toujours là. Puis elle baisse les yeux, se concentre sur le sécateur et lève son regard vers moi. Elle est de nouveau elle-même. « Je suis tellement fatiguée, tu n'imagines pas à quel point. Laisse-moi juste me reposer aujourd'hui et ce soir j'irai bien. »

Je me passe la langue sur les lèvres. « Va te coucher, Iz. Je vais dire à Susan que tu as besoin de repos, elle s'occupera du bébé à ta place. Écoute, pourquoi on se complique tant la vie avec ce repas ? Ça ne dérangera personne si...

— J'en ai envie. » Elle a un vague sourire aux lèvres et c'est fou ce qu'elle ressemble à mon père. L'espace d'une seconde je ne la vois presque plus, à sa place c'est comme s'il y avait le corps d'un fantôme.

« Ça va aller, me rassure-t-elle. Je vais parler à Susan. Allez, tu ferais mieux de filer. Ils doivent être dans la voiture. Tu sais comment ils sont quand ils doivent attendre. »

Nous échangeons un petit sourire puis elle se penche pour ramasser d'autres fleurs. Elle rassemble deux poignées de boutons qui perdent déjà leur éclat. La moitié retombe dans l'allée. Chaque fois qu'elle saisit les fleurs elles ont l'air pire.

« Qu'est-ce que je vais en faire ? me demande-t-elle.

— Laisse-les. Jette-les. Pour l'amour du ciel, Iz,

ce n'est pas un crime de ramasser des fleurs. Ce n'est jamais qu'un massif de dahlias, bon sang, même si c'est toi qui l'as planté. *Ça n'a pas d'importance.* »

Elle hoche la tête. Ses mains retombent le long de son corps et les têtes des dahlias aussi.

« Susan ramassera autre chose », dis-je. Et elle les laisse là. Je crois voir du soulagement sur son visage. Nous ne nous touchons pas, ne nous disons pas au revoir non plus. Je la regarde remonter lentement l'allée qui mène à la maison.

23

Brighton grouille de monde.

« On aurait dû éviter le centre-ville et se rabattre sur un centre commercial », dit Richard.

Ça fait trois fois qu'on fait le tour du même pâté de maisons, dans l'attente qu'une place se libère. On a déjà repéré la remorque de la fourrière six voitures devant nous, avec une Audi entre les mâchoires.

« Oh, que je t'aime, susurre Richard lorsqu'un homme robuste dans la soixantaine sort sa Honda reluisante d'un emplacement en marche arrière. Tu as le ticket de parking, Neen ? » Je gratte la date et l'heure et glisse le papier contre le pare-brise. « On ira plus vite si on se sépare, suggère vivement Richard. Ton poissonnier est par là, Edward, tu tournes à gauche, tu traverses la route et c'est la deuxième à droite, là où il y a un pub au coin.

— Je sais.

— Tu en as pour combien de temps ? Une heure ?

— A peu près. Et vous, vous faites vos courses ensemble ?

— On n'a pas le choix. Nina est seule à connaître les ingrédients du plat que je suis censé préparer. »

Assise à la place de la mère, donc du pouvoir, je regarde Edward s'éloigner en balançant son panier d'osier.

« Seigneur, il fait encore plus chaud ici. Il faut vraiment qu'on les fasse, ces courses, ou tu crois qu'on peut aller au pub ?

— On peut si on triche en achetant tout au supermarché pendant qu'Edward fait le tour des magasins pour dénicher de la coriandre fraîche.

— Il y en a un bien tout près d'ici. »

La mer est comme un mur au bout de la rue, huileuse et calme. Ils ont sorti quelques tables sur le trottoir étroit et luisant devant le pub, avec huit chaises serrées autour. Ça sent l'ambre solaire et la bière.

« Entrons. »

L'intérieur est sombre et à moitié vide. La porte de derrière est ouverte pour laisser pénétrer un peu d'air, et on aperçoit le coin d'une cour d'un blanc aveuglant avec quelques parasols et quelques tables. Mais c'est mieux ici que dehors. A l'autre bout, un vieil homme lève un regard dénué de curiosité, puis retourne à son demi tandis que nous choisissons une table dans le coin.

Richard se glisse sur le banc à côté de moi. « J'espère que le gin ne te donne pas mal à la tête.

— J'ai déjà mal à la tête. Ça va me faire du bien. »

Je me cale et sens l'alcool entamer son avancée dans mon corps. Sur un estomac vide c'est sidérant. Je me rapproche de Richard et nos cuisses se touchent puis se pressent.

« Je pourrais te baiser ici sur ce banc, déclare-t-il.

— Dire qu'on a une demi-heure à tuer et nulle part où aller. »

Il rit. « Ça doit être rare à Brighton, ce genre de réflexion. Sors d'ici et tu trouveras dix hôtels sur cent mètres.

— Edward va peut-être en avoir marre d'attendre.

— Qu'il aille se faire foutre. De toute façon, tu m'as dit qu'il était au courant. »

Mais nous savons tous deux qu'il ne va rien se passer ici.

« Ils feraient de bonnes affaires s'ils louaient des cabines de bain à l'heure, quand on y songe, dit Richard. J'ai souvent pensé qu'il y avait là un potentiel inexploité. »

Je sirote doucement le gin, je fais durer. Richard nous achète encore des boissons, ainsi que des cacahuètes salées, des chips et deux œufs marinés.

« Tu veux un autre gin ?

— Je ne pourrai plus tenir debout.

— Tu peux t'étendre. Si on va à la plage, juste sous le front de mer, personne ne fera attention à nous. Ils sont tous occupés à regarder vers le large.

— Tu es fou, la plage est bourrée d'étudiants français en voyage d'échange. Tu ne crois tout de même pas que c'est la mer qui les intéresse, si ?

— Je pourrais acheter une serviette pour qu'on s'allonge en dessous. Une grande.

— Ouais, quelle bonne idée. » J'imagine la serviette blanche s'agitant et se cabrant comme un cheval de théâtre. Il ne va rien se passer, pas maintenant. Plus tard, quand il fera noir, quand toute la nourriture aura été mangée et que les bougies seront éteintes. Quand la table ne sera plus que cire, déchets et fleurs fanées. Alors nous irons dans le jardin, une fois la fête terminée.

« Tu sais, j'étais sérieux quand je t'ai dit qu'elle ne couchait plus avec moi.

— Et moi je t'ai déjà expliqué que tu n'avais pas besoin de me raconter tout ça.

— J'ai essayé je ne sais combien de fois de lui faire dire pourquoi. J'aurais dû avoir un peu plus de jugeote, à mon âge, et ne pas même essayer. Au bout du compte je l'ai eue à l'usure et elle m'a répondu qu'elle m'avait épousé parce qu'elle savait que j'étais différent de tous les autres hommes qu'elle avait connus. Elle voulait casser le schéma. Mais ça n'a pas marché, parce que les types qu'elle trouve attirants sont précisément ceux qui ne lui réussissent pas. Et c'est avec ces hommes-là qu'elle veut coucher. Je lui ai dit que ça ne pouvait pas être vrai, que nos rapports sexuels étaient tellement chouettes les trois premières années. Elle m'a dit qu'elle ne partageait pas mon avis, qu'elle aurait bien aimé mais qu'elle n'avait pas pu. Peut-être qu'elle avait fait semblant de me rendre heureux. Elle m'a dit qu'elle m'aimait.

— Pourquoi tu me racontes tout ça ?

— Je veux que tu saches.

— Parce que tu l'aimes toujours et que tu espères toujours qu'elle...

— Non. C'est fini tout ça. »

Il serre ma main très fort et ses doigts la recouvrent.

« Elle a raison, tu sais, les hommes qu'elle a eus ne valaient pas grand-chose, dis-je. Pas vraiment. Elle en lâchait un pour retomber exactement sur le même.

— C'est classique.

— Puis elle t'a rencontré et elle n'arrivait toujours pas à se décider.

— Ça, tu as raison. C'était une fois oui une fois non, une vraie girouette », constate Richard. La porte du pub s'ouvre d'un coup et une femme aux cheveux brillants, moulée dans une robe rouge, plisse les yeux dans la pénombre. Le vieil homme à l'autre bout lève la tête de son journal, la voit, pose le journal sur la table et se lève avec une lenteur délibérée. Elle s'avance vers lui en faisant claquer ses chaussures à brides et hauts talons, ferme les yeux et ouvre la bouche. Ils s'embrassent et la main de l'homme lui presse le bas du dos.

« J'adore Brighton, dis-je.

— Ah oui ?

— C'est un endroit merveilleux. On a l'impression de pouvoir faire ce qu'on veut et que tout le monde s'en fiche. Tout pourrait arriver. Même la mer ressemble à un propriétaire prêt à reprendre son bien d'un moment à l'autre. Regarde-la, garée au bout de la rue, à attendre.

— Je n'avais pas remarqué.

— Parce que tes fichus yeux sont fermés la moitié du temps, lui dis-je avec plus de colère dans la voix que je n'aurais souhaité.

— La dernière fois que je suis venu ici j'ai tout de même remarqué la couleur des cabines de bain, rétorque-t-il en me saisissant la main et en l'apaisant entre les siennes. Ils ne font plus ce bleu ailleurs, si ? On va prendre une cabine de bain, Nina. Je vais me renseigner sur les prix. Tu pourras descendre de Londres et on fera du thé. On fermera la porte et on baisera, puis je filerai t'acheter une glace. Je suis sûr que ça te plairait.

— Dis donc, ça fait près d'une heure qu'on est là, et on a encore les courses à faire.

— Ne t'occupe pas de la nourriture. Oublions toute cette histoire. » Il est appuyé contre moi, sa peau est brûlante sous sa mince chemise blanche. « On pourrait, si tu voulais. On n'a pas besoin de rentrer. »

On n'a pas besoin de rentrer. On peut prendre une chambre, pas dans un établissement cher sur le front de mer, mais dans un des petits hôtels des rues de derrière. En faisant attention, ma carte de crédit pourrait nous durer des semaines. Sans parler de celles que Richard a dû entasser dans son portefeuille en même temps que ses doctorats et ses diplômes. On prendrait un solide petit déjeuner et on ferait des pique-niques sur les galets. J'achèterais un maillot de bain. Le soir on irait d'un restaurant italien à l'autre jusqu'à ce qu'on en trouve un qui nous plaise. On regarderait les lueurs de la digue s'allumer et éclabousser la nuit de fantaisie. Je mettrais de l'argent dans les machines de courses de chevaux à dix pence, et pour une livre on achèterait quatre beignets frais qu'on mangerait jusqu'au dernier. Quand on baisserait les yeux il y aurait de l'eau, du sel et du vert tout en bas entre les gros piliers de la jetée. Et aussi de la vase sur le métal, des arcs-boutants immenses et terrifiants. On se tiendrait la main. Chaque jour on verrait les membres du club de natation faire leurs brasses au bout de la digue. A midi on s'assiérait dans les Jardins du Pavillon pour regarder les touristes japonais manger des sandwiches anglais. Un jour on s'embarquerait pour une excursion d'une journée vers Dieppe et on ferait des ricochets sur la plage en direction de l'Angleterre, avant de rentrer chargés de bouteilles de vin.

On resterait à l'intérieur, une journée brûlante après l'autre. On s'étendrait peau contre peau sur le lit défait pendant que le soleil passerait d'un côté de la fenêtre sale à l'autre. Pour finir, quand nos vessies seraient trop pleines, on irait à la petite salle de bains sur le palier du dessous, avec la pancarte nous demandant de bien vouloir laisser ce lieu dans l'état où nous aimerions le trouver SVP. Il y aurait un long cheveu sur le coin de la baignoire et une odeur de Harpic. Richard sifflerait en se rasant et son sifflotement s'enroulerait dans l'escalier jusqu'à moi. Je serais étendue là, l'attendant dans l'état où il aimerait me trouver. Un gin de plus et c'est d'ailleurs ce qui va se passer. Je me recule et sa main caresse mon ventre sous la table. Il trouve mon nombril et une soudaine décharge électrique passe dans ma colonne vertébrale. Pourquoi on ne saute pas le pas ? Pourquoi on ne téléphone pas immédiatement et on ne commence pas à défaire ces fils, l'un après l'autre ?

On ne peut pas. Parce qu'il y a Isabel, encore et toujours elle. Elle s'est immiscée partout et je n'arrive pas à la déraciner. *Je ne t'ai jamais accusée, Neen. Je ne t'ai jamais accusée de quoi que ce soit. Je t'aime.* Les boutons profondément enfoncés dans le faux cuir du banc d'en face sont aussi noirs que des dahlias. « Il faut aller faire ces courses, dis-je.

— Oui, je suppose. » Il bâille et s'étire, s'abandonnant au bâillement avec un frisson. « Mon Dieu, j'ai l'impression qu'il tonne dans ma tête. »

Mais quand nous sortons il fait plus chaud que jamais, et presque aussi clair. Un petit nuage solitaire au bord cuivré est suspendu très haut au-dessus de nos têtes.

24

Il y a un mot, écrit avec soin, scotché sur le haut du pare-brise. C'est une petite enveloppe avec « *Richard et Nina* » marqué dessus. Je la déplie. A l'intérieur je lis : « Ai attendu de 13 h 15 à 14 h 05. Suis parti prendre le train pour Lewes puis un taxi. Vous retrouverai tous les deux à la maison. » Où a-t-il trouvé l'enveloppe ? Est-ce qu'il en porte sur lui en permanence ? Richard est occupé à en déchirer une autre, officielle celle-là. Une contravention. A droite du pare-brise je vois un autocollant jaune vif où il est marqué « *Enlèvement autorisé* ». Juste à ce moment-là, en haut de la rue, nous voyons la remorque de la fourrière entamer une marche arrière dans notre direction.

« Monte. »

Nous balançons nos quatre sacs de commissions sur le siège arrière et sautons dans la voiture. La remorque fait un bruit sourd et trépide en se frayant un chemin entre les rangées de véhicules garés. « Ils se font des couilles en or par ici. Et n'essaie pas de me coincer, espèce d'enfoiré. » Richard fait tourner le volant et sort rapidement en marche arrière. « Je parie que c'est ce salaud d'Edward qui leur a téléphoné, grommelle-t-il en s'éloignant. Il dit quoi dans son mot ?

— *Allez vous faire foutre. Ça va vous coûter cher.* »

Richard rit. « Il a bien raison.

— Pour l'instant c'est à lui que ça coûte, vu qu'il a pris le train.

— On sera rentrés avant lui. On pourrait passer le prendre à la gare.

— A moins qu'on ne le laisse poireauter des heures là-bas, puis payer un taxi, voire même faire tout le trajet à pied avec ses paquets.

— Ça me paraît un bon plan. Écoute, il y a un endroit par ici où on peut s'arrêter pour acheter du champagne. Tu es sûre qu'on a tout sinon ?

— Oui.

— Ce repas ne me dit rien qui vaille.

— Ça va aller. Je t'aiderai à tout préparer comme il faut.

— Je ne parlais pas de la nourriture. »

Nous nous dirigeons vers la rocade, toutes vitres baissées, si bien que l'air chaud emplit la voiture et nous oblige à crier pour nous faire entendre. Puis Richard s'arrête sans prévenir. J'ai déjà remarqué cette façon qu'il a de conduire, comme s'il s'imaginait que le passager lit dans ses pensées.

« J'en ai pour une minute. »

Je le regarde disparaître chez le marchand de vin. Derrière, on voit toujours la mer. Un scintillement vague, comme de la limaille. Mais les avenues sont larges et tranquilles, assommées par une chaleur plus étouffante que jamais, et les ombres des arbres sont floues. Le ciel n'est plus bleu mais jaune. Richard a raison, il se prépare un orage, même s'il risque de mettre deux jours pour éclater. Les feuilles sont ternes et brunies par la sécheresse, elles attendent la pluie.

Richard sort du magasin en tenant la caisse en équilibre sur son genou pendant qu'il se retourne pour fermer la porte. Mais le vendeur sort derrière lui, eu égard à la somme qu'il vient de dépenser. Il lui glisse la caisse dans le coffre, lance *Monsieur* et *Au revoir* puis réajuste la chaîne d'un chien d'aveugle en plastique tout en nous regardant partir. Richard laisse tomber un Mars sur mes genoux. C'est froid et solide.

« En guise de déjeuner. Il les avait au frigo, ça devrait aller.

— Désolée, Richard, mais pas après le gin. »

L'alcool n'est plus un éblouissement à présent, mais une douleur nauséeuse dans l'estomac. J'aurais dû manger davantage. Les œufs marinés, les chips et l'alcool se bagarrent entre eux. La route saute et tourne devant nous. Je suis sûre qu'il ne conduisait pas aussi vite à l'aller. Les maisons ont disparu pour faire place aux champs blancs et aux haies poussiéreuses. Un homme pédale lentement sur la piste cyclable le long de la route.

« Richard, tu peux t'arrêter ? »

Il me jette un coup d'œil. « Il y a une sortie à moins d'un kilomètre.

— D'accord. »

Lorsque nous nous garons, le silence et l'immobilité m'assaillent et me submergent. Je me précipite hors de la voiture vers l'herbe sèche du bas-côté. Je m'agenouille près d'un carré d'orties mais rien ne remonte en dépit des nausées. Ce qu'il faut c'est se tenir tranquille et inspirer lentement par le nez. Je ne vais pas vomir. Je baisse la tête et respire calmement.

« Tiens, me dit Richard, essuie-toi le visage avec ça. »

C'est une lingette pour bébé. On les a achetées au supermarché en même temps que le reste. C'est frais et humide et ça sent la lotion pour bébé. J'essuie la sueur de mon visage et mon cou puis me rassieds. A une cinquantaine de mètres de là, la route gronde, mais ici nous sommes tout à fait protégés des regards.

« Ça va ?

— Ça va. J'ai bu trop de gin, c'est tout.

— C'est aussi l'excitation, dit-il, n'oublie pas l'excitation.

— Il n'y en a pas eu assez, tu veux dire. » A travers un orifice dans la haie j'entrevois un petit rectangle de paysage encadré. Deux champs, une maison, une haie. Une image parfaite et complète, comme la vie des autres.

« Qu'est-ce que tu regardes ?

— Cette maison là-bas.

— Tu aimerais en avoir une comme ça ?

— Je pensais à la façon dont je la dessinerais.

— Tu n'as pas emporté ton carnet de croquis avec toi, si ?

— Dans mon sac.

— Je peux regarder ?

— Si tu veux. Mais je ne vais pas dessiner maintenant, j'ai l'impression que ma tête est sur le point d'éclater. »

Il ouvre le carnet et le feuillette. Le chou, l'écorce du cerisier, un caneton dans l'immense sillage de sa mère. Un autre chou. Je le vois se raidir et je sais alors à quel endroit il est arrivé.

« J'ignorais que tu avais fait tout ça. »

Il continue de feuilleter. Dix, quinze, vingt pages. Je suis surprise moi-même, parce qu'en dessinant j'ai perdu trace du compte.

« Ils sont tous de lui ?

— D'Antony, tu veux dire ? Non, pas tous. »

Voici Antony dans les bras de Susan. Antony donnant un coup de pied à une couverture dans le jardin. Antony plié en deux par la colique, le visage plissé de colère et d'angoisse. Je l'ai également dessiné dans son bain, avec les doigts de Susan sous sa nuque pour le soutenir et ses jambes qui pendent mollement comme si l'eau chaude l'étonnait. Ça doit lui paraître tellement familier. Le voici accroché à son biberon, toute son existence rivée à la tétine. Et sur un autre dessin il dort de son sommeil humide, plumeteux et solide.

« Isabel les a vus ?

— Non. »

Il continue de tourner les pages. Il s'arrête une nouvelle fois, regarde ces autres dessins de près puis repart un peu en arrière pour comparer. Ensuite il me regarde.

« Ils ne sont pas pareils, ceux-là. Tu l'as dessiné plus grand, non ? Regarde ces jambes. Et il n'a pas autant de cheveux.

— Ce n'est pas lui.

— Certainement que... mais si voyons ! C'est le même bébé. Regarde la forme des yeux. Et les mains, les mains sont exactement semblables.

— C'est un bébé plus grand, tu as raison, et plus âgé qu'Antony. Il a trois mois. Tu ne vois pas qui c'est ? Tu donnes ta langue au chat ?

— Qu'est-ce que tu veux dire ? Que je suis censé le reconnaître ?

— Tu ne l'as jamais vu.

— Nina, pour l'amour du ciel, c'est quoi ? Un bébé, c'est tout. Juste un bébé. Moi je trouve qu'il ressemble à Antony, mais si tu me dis que non...

— C'est son oncle. »

Il ne peut pas feindre ce regard surpris.

« Tu parles de Steve ? Tu as fait ça à partir d'une photo ? »

J'ai oublié que Richard aussi avait un frère. « Non, pas ton frère. Le mien. Le mien et celui d'Isabel. »

J'entends une longue inspiration. « Oh, je vois.

— Tu étais au courant de son existence, non ?

— J'avais oublié. Effectivement, Isabel m'a dit que vous avez eu un frère. Il est mort, non ?

— Oui.

— Donc tu as dessiné ça à partir d'une photo de lui. C'est extraordinaire. On dirait le portrait craché d'Antony.

— Non, j'ai tout fait de mémoire.

— Mais tu devais être toute petite ! Isabel n'avait que... combien ? Huit ans et quelques ?

— Sept.

— Donc toi tu n'avais que quatre ans.

— J'ai une sacrée mémoire. »

Richard tourne à nouveau les pages, lentement cette fois. « Je n'avais pas remarqué. Mais c'est vrai qu'il n'est pas habillé comme Antony. Ce n'est pas le même genre de vêtement.

— C'étaient les nôtres en fait. Ma mère avait rajouté des rubans bleus. Elle n'avait pas assez d'argent pour en acheter des neufs.

— Effectivement, je vois les rubans. Tu les as dessinés. »

Il se plonge dans le carnet. « C'est extraordinaire, Nina. Tu te souviens vraiment de tout ça ?

— Oui.

— Je ne savais pas que tu avais fait tous ces dessins. Isabel va adorer. Il faudra les faire encadrer.

— Ce ne sont que des croquis.

— Tu te sens mieux maintenant ?

— Oui, on ferait bien d'y aller. »

Richard se lève et jette un regard circulaire. « D'ici on voit à des kilomètres à la ronde. J'avais raison, regarde-moi ces nuages qui commencent à s'amasser. On va avoir un sacré orage.

— Pas tout de suite.

— Ça éclatera avant ce soir, dit-il, l'air satisfait, comme ça je n'aurai peut-être pas à cuisiner après tout. On pourra boire du champagne et regarder les éclairs.

— Viens. » Je tremble un peu en dépit de la chaleur. La nausée donne froid. J'ai l'impression de ne pas pouvoir totalement reprendre mon souffle, comme si l'air était épais, comme si ce n'était pas de l'air du tout. « Richard, on ferait mieux de se dépêcher.

— T'inquiète pas. Edward n'est même pas encore descendu du train. On sera de retour avant lui de toute façon.

— Ça fait des heures qu'on est partis. Ça nous a pris beaucoup plus de temps que prévu.

— On se demande pourquoi... »

Il sourit toujours. Il ne se dépêche pas, alors que je saisis la poignée de la portière et que je tire tellement fort sur la ceinture de sécurité qu'elle se coince. Il est au premier plan de ce paysage inondé de soleil, dans ces derniers instants avant que l'orage n'éclate. Derrière lui le ciel est plombé. Un petit éclair étincelle avec un craquement au-dessus d'un arbre. Dans un autre endroit du tableau, il pleut déjà des cordes.

25

Nous entrons par le jardin. On a l'impression que Susan vient de finir de décorer la table et de rentrer dans la maison par la porte-fenêtre. La lourde nappe en lin tombe en plis bien nets et les quatre vases qu'elle a remplis de dahlias noirs et d'anémones blanches du Japon trônent au milieu de la table. Elle a tressé du lierre qu'elle a enroulé autour des bougeoirs. A côté de chaque assiette elle a déposé un petit vase rempli soit de romarin, soit de lavande. Tout est espacé avec un soin rigoureux. Mais, au centre de la table, entre les bougeoirs, il y a un grand compotier que je n'ai jamais vu, une éclaboussure d'un jaune profond et pur.

« On y mettra les figures. Je vais faire des boules de papier journal pour poser au fond, ça le remplira un peu. »

Nous entendons des pas sur le plancher, et Susan sort, les bras pleins de tournesols.

« Ah, vous voilà ! » Elle a une expression rayonnante, comme si nous étions ses parents. « C'est joli, hein ? » Son visage est rouge de chaleur et de satisfaction.

« C'est superbe. »

Elle laisse tomber la moitié des tournesols sur une chaise de jardin, et leurs visages dorés se tournent en se posant pour chercher le soleil à travers les interstices. « Je m'en occuperai dans une minute. Vous avez tout trouvé ? Et où est Edward ?

— Il rentre par le train, il ne devrait pas tarder. Les courses sont dans la voiture.

— On ferait mieux de les rentrer. »

Le jardin est parfaitement immobile. Nos paroles ne semblent pas avoir plus de sens que les petits coups de bec des oiseaux. Pourquoi tout ça ? La table, la nourriture, les cœurs ronds et fixes des tournesols ? A quoi on joue ici ? Il n'y a rien à fêter.

« Isabel dort toujours ?

— Oh non, répond Susan, elle n'y arrivait pas alors elle est sortie.

— Comment ? »

Susan glisse ses cheveux derrière ses oreilles. « Eh bien, elle est descendue et elle m'a expliqué qu'elle n'arrivait pas à dormir. Moi je n'avais encore rien fait à cause du bébé. Il lui a fallu des siècles pour l'endormir après le biberon. Alors Isabel a dit qu'elle allait l'emmener quelques heures pour qu'on puisse commencer à préparer le repas. »

Richard réagit d'abord à la légère, comme ci c'était une blague. « Elle l'a emmené ? Ça m'étonnerait. Elle n'a pas assez de forces pour aller se promener.

— Elle n'est pas partie à pied. Elle a appelé le garage pour avoir un taxi. Il devait la conduire au Gap. Il fait plus frais près de l'eau, et puis le bébé n'a jamais vu la mer. Ce n'est qu'à une dizaine de kilomètres d'ici. »

Susan doit forcément remarquer la façon dont on la regarde, mais elle poursuit son bavardage : « Elle a dit qu'elle garderait le taxi tout l'après-midi, comme ça il pourrait la ramener après. Elle a pris le vanity, les biberons et tout et tout. Je lui ai préparé ce qu'il fallait et j'ai mis trois biberons. »

Richard et moi nous regardons. « Tu aurais pu l'accompagner, Susan.

— Ben pas vraiment, si ? Je veux dire, il y avait tout ça à préparer. »

On ne peut pas lui en vouloir. Elle est plantée là, rose et droite, serrant les fleurs. Elle a fait de son mieux, que lui demander de plus ?

« Elle est partie quand ?

— Un peu après midi. J'ai fait tout ça depuis. »

Elle ne peut s'empêcher de jeter un autre regard rapide à la table dans l'espoir que nous la félicitions une nouvelle fois. Je ne dois pas me laisser envahir par la sensation que cet air si épais est tout juste respirable. Je serre et desserre les mains pour me calmer, on dirait que mon cœur aspire mes côtes. Je me sens toujours comme ça avant un orage, parce que la pression atmosphérique entre dans ma tête comme la peur. Il n'y a rien à craindre pour le moment. Isabel est partie pour changer de décor, c'est tout, pour respirer le bon air de la mer. Mais alors même que je fais défiler les clichés dans ma tête, ils ne fonctionnent plus. Dans une demi-heure, elle sera sur le chemin du retour, avec Antony toujours endormi dans son relax. Il ne saura même pas qu'il est allé quelque part. Elle sourira de son vague sourire distant, surprise qu'on se soit fait du souci pour elle pendant son absence. Pourquoi je transforme toujours tout en drame ?

Ça fait des semaines qu'Isabel n'est pas sortie, pas même dans le jardin, et puis tout d'un coup ce repas, venu de nulle part. Un projet, une fête. Elle nous a lancés sur une piste et on est tous partis en chasse. *Toi, Richard et Nina allez faire les courses. Il vous faudra aller à Brighton pour tout trouver.* Puis dès qu'on a eu le dos tourné elle a pris un taxi pour se rendre à la plage, à dix kilomètres, plus loin qu'elle n'est allée depuis des mois. Parce qu'elle avait envie de changer d'air. Susan me regarde.

« Qu'est-ce que tu en penses ? me demande Richard comme si cette dernière n'était pas là.

— Je ne sais pas. Si elle est justement allée au Gap elle ne devrait pas tarder à rentrer. Elle n'a sûrement pas envie de se retrouver coincée sous l'orage avec le bébé.

— Non. »

Je n'arrive pas à détacher mes yeux des tournesols. Où Susan en a-t-elle trouvé autant, et pourquoi les avoir tous coupés alors qu'ils étaient tellement plus beaux dans le jardin ? Leur masse dorée déborde de la chaise. Dans quoi Susan va-t-elle les mettre ? Ils sont trop grands pour les vases. Richard attend. Il pense peut-être que je vais savoir quoi faire ? Susan nous dévisage.

« Je ferais mieux d'aller chercher de l'eau pour ces fleurs, dit-elle en s'éloignant de nous.

— Attends. »

La tension monte. La table fleurie et décorée raille : *Quelle fête ? Vous pensiez vraiment qu'il allait y en avoir une ?*

« A mon avis, le mieux serait d'aller là-bas, dis-je.

— Pour la chercher, tu veux dire ? Oui, c'est une bonne idée. Elle ne doit pas se rendre compte à quel point c'est fatigant, une première sortie. » Comme nous avons l'air responsables, adultes. Puis tout à coup ça me heurte de plein fouet comme une vague : la maison est vide. Si j'en faisais le tour en ouvrant chaque porte, je ne trouverais pas ma sœur.

« Oh, eh bien, dit Susan, la voix teintée de soulagement, pendant que vous y allez je vais commencer à sortir les assiettes et les verres dans la cuisine. Maman apportera la glace. Je lui ai dit 8 heures, ça va ? » Elle attend une seconde, mais personne ne répond. « Je suis sûre que vous les croiserez sur la route. Elle est partie avec le taxi de Mickey Nye, du garage. Il a une Sierra rouge. » Elle sourit. On pourrait dessiner une ligne imperméable et bien nette autour de son corps. Nous, nous allons tout régler, tandis qu'elle, Susan, continuera à faire son boulot aussi bien que d'habitude.

« Quand Edward rentrera, dis-lui que nous sommes partis à la rencontre d'Isabel. » Elle hoche la tête en tournant déjà les talons et se dirige vers la maison d'un pas nerveux. « Je suis sûr que tout se passe bien, dit Richard lorsque nous montons dans la voiture. Mais je ne suis pas très rassuré de la savoir là-bas toute seule. Elle n'est pas assez solide pour ça. » Je lui jette un coup d'œil pendant que nous accrochons nos ceintures de sécurité mais je ne dis rien.

J'ai suivi un cours d'autodéfense autrefois, après qu'un homme s'était fait trancher la gorge dans ma rue. *La plupart des gens ont des ennuis parce qu'ils n'écoutent pas leur instinct,* avait expliqué le moniteur. *Après coup ils vous diront qu'ils n'avaient pas aimé se retrouver dans la même pièce que telle ou telle personne. Ils avaient eu un mauvais pressentiment mais ils l'avaient refoulé parce qu'il s'agissait d'un ami, de l'employé du gaz ou autre. Vous devez apprendre à écouter. Votre corps vous dira toutes sortes de choses si vous le laissez parler. Et si vous avez l'intuition que vous voulez vous éloigner de quelqu'un, faites-le. Éloignez-vous vite.*

Mon corps est malade de peur. Une peur tellement forte que je la sens sortir par tous mes pores, comme de la sueur. Richard met le contact lentement, arrange le rétroviseur extérieur, puis démarre. Nous sommes au milieu du chemin lorsque je me souviens des courses à l'arrière. Mais je ne dis rien, en espérant qu'il n'entendra pas le bruit des sacs plastique. Avec la chaleur, la nourriture est sûrement déjà fichue de toute façon. Au bout du chemin Richard tourne à gauche au lieu de tourner à droite.

« Tu pars dans le mauvais sens.

— Je sais, je veux juste passer au garage.

— Elle n'y sera pas. Il l'aurait ramenée directement à la maison. Écoute, ça va nous prendre dix minutes, tu perds du temps.

— Nina, pour l'amour du ciel, calme-toi. Je peux tout de même parler à Janice et savoir si Mickey lui a dit à quelle heure il revenait ! »

Nous quittons la route et pénétrons dans la cour poussiéreuse en cahotant, mais avant même de nous être arrêtés nous l'avons vue tous deux. Une Sierra rouge vif, garée sur le goudron à côté de l'emplacement où on lave les voitures. Richard saute dehors avant moi et se dirige vers la femme à la caisse. « Janice, Mickey est là ? » Avec son visage pincé et sa coiffure échevelée de sorcière, elle ressemble plutôt à une enfant qui jouerait à la marchande. « Il doit être derrière, on nous a amené une Espace pour une révision. »

Mickey Nye a surélevé la voiture et fait rouler le pneu qu'il a enlevé.

« Comment va, monsieur Carrington ?

— Bien, merci, Mickey. Je voulais simplement savoir vers quelle heure vous avez déposé ma femme au Gap.

— Oh, ben, ça doit faire quelques heures maintenant. Environ midi et demi que ça devait être. Elle a dit que vous iriez la rechercher plus tard.

— Effectivement, on y va. Je vous présente Nina Close, la sœur d'Isabel.

— Enchanté. » Il adresse un large sourire à Richard. « Heureusement que vous me le dites, j'aurais jamais deviné. Vous vous ressemblez pas beaucoup pour des sœurs, hein ?

— Vous l'avez laissée sur la plage ?

— Juste à côté du bistrot. Ils font un bon thé avec des *scones* et de la crème par là-bas, et elle pouvait pas aller trop loin sans poussette. En tout cas, elle aura eu du beau temps même s'ils ont dit que ça changerait ce soir. Ça m'a tout l'air de vouloir changer plus tôt que prévu, d'ailleurs.

— Moui, vous avez raison, j'aimerais bien la ramener avant que ça éclate. »

Notre voiture cahote en repartant sur la route et ses pneus font gicler la poussière et les gravillons. Je me retourne et vois Mickey Nye qui nous suit du regard, sa clé à molette à la main. On dirait un témoin occupé à tout enregistrer. « Pourquoi est-ce qu'elle a été dire que j'irais la rechercher ? me demande Richard.

— Ça coûte cher de garder un taxi tout un après-midi. Peut-être qu'elle ne s'en rendait pas compte avant de lui demander le prix.

— Elle lui a dit que je viendrais la rechercher... Pendant ce temps-là on aurait pu passer l'après-midi à la maison à l'attendre.

— Elle aurait téléphoné. »

Bien sûr. J'en suis tellement convaincue que j'arrive presque à entendre le téléphone sonner par-dessus le bruit du moteur, sonner en continu dans une maison vide. Je vois Isabel dans la vieille cabine rouge au Gap, le dos collé contre la porte ouverte afin de laisser entrer un peu d'air, ses cheveux retombant en cascade sur le combiné. A cause du bruit que font les enfants massés devant la camionnette du marchand de glaces garée en permanence près de la cabine, elle doit tendre l'oreille pour entendre la sonnerie qui n'en finit pas de retentir. Elle repose le combiné, regarde fixement devant elle pendant un bon moment, puis recompose le numéro. Six, sept, huit sonneries. Susan est toujours au jardin à ramasser d'autres fleurs et nous sommes ici sur la route noire d'orage, fonçant aussi vite que possible vers elle. Je n'arrive pas à distinguer son visage. Seulement sa main qui serre le combiné, et son pied qui berce le bébé dans son relax afin qu'il ne se réveille pas et ne se mette pas à crier.

Ce n'est qu'à dix kilomètres. Des moucherons s'écrasent contre le pare-brise où ils laissent des traces de sang. Richard allume la radio et les haut-parleurs vomissent une musique de violoncelle, tout en bâillements et en désirs, alors que nous fonçons le long de l'étroit chemin. Au détour d'un virage un tracteur apparaît, avançant lourdement dans notre direction, au beau milieu de la route. Le conducteur a mis son casque. Tout en continuant d'avancer il nous fait signe de reculer.

« Tu as vu un portail, Nina ? Un endroit où il pourrait passer ?

— Je ne sais pas. »

Nous faisons marche arrière, nos pneus mordent la terre sur le bas-côté, mais il n'y a toujours pas suffisamment de place. Nous reculons encore et encore.

« S'il arrive pas à passer ici on n'est pas sortis de l'auberge. Je suis déjà dans la haie, bordel. »

Le tracteur s'approche lentement, comme dans un rêve, au volant, un garçon au visage rougeaud mâchouille du chewing-gum. Et il n'a pas l'air de vouloir nous laisser passer.

« Il a un terrain de foot à gauche, cette espèce de connard. »

Le tracteur accroche notre rétroviseur extérieur et le tord complètement puis le relâche, cassant le verre en mille morceaux. Par la vitre arrière je vois la tête du garçon, ornée du casque, osciller d'un côté et de l'autre au rythme de la musique qu'il entend, puis notre voiture bondit en avant.

Il n'y a pas grand-chose au Gap. Un café avec minigolf, quelques balançoires et quatre parasols affaissés au-dessus de tables en plastique. La plage est faite de galets durs et blancs et la mer est grise, aussi plate qu'une table. La lumière me fait mal aux yeux.

Nous garons la voiture à côté du café et traversons la route pour atteindre la plage. L'odeur chaude du graillon nous poursuit. Voici la camionnette du marchand de glaces et la cabine téléphonique à côté, vide. Les touristes sont assis en petits groupes discrets sur des nattes étalées sur les galets. Ils donnent l'impression d'attendre quelque chose qui n'a pas encore commencé. Des enfants se baignent et poussent des planches de surf sur l'eau calme. C'est une de ces scènes amorphes de bord de mer comme j'en ai vu des milliers. Le jour a atteint son zénith il y a des heures et le voilà maintenant qui s'achemine lentement vers le soir. C'est une journée calme, sinistrement calme. Où est-elle ? Mes pieds crissent et glissent tandis que je cours quelques mètres sur les galets.

« Prends l'autre côté, moi je vais longer le rivage. » Richard me suit. « Non, Nina, elle n'est sûrement pas partie par là. Pas avec le bébé. »

Mais la boule de panique dans ma gorge grossit de plus en plus et je trébuche sur les grosses pierres avant d'atteindre le bord du brise-lames et de regarder en bas de la dénivellation haute de deux mètres. Des algues vertes et velues sont accrochées au bois noir et les vagues ont entassé les cailloux en grands festons. Je regarde fixement la poitrine d'une femme aux seins nus qui bronze, étendue et les yeux fermés, le dos arqué contre un tas de galets. Ses seins durcis et sombres me regardent à leur tour.

« On dirait que tout le monde plie bagage, dit Richard. Essayons plutôt le café. »

Les gens lèvent les yeux vers le ciel puis roulent serviettes et nattes dans des sacs. Près de nous une famille range son coupe-vent. Je me dis que je vais sûrement voir Isabel allongée là près d'eux, le visage tourné vers le ciel. Un bébé pleure et je me retourne mais ce n'est pas Antony. Il y a des bébés partout, dans des poussettes et des sacs kangourous, d'autres qui tanguent, une glace à la main.

« Si on va jusqu'au bout de la plage et qu'on revient... »

Il ne nous faut pas longtemps. Tous les touristes sont rassemblés sur une bande large de quelques mètres, au-delà il y a des drapeaux rouges, des poteaux jaunes et des mises en garde. Je me souviens d'Isabel m'expliquant que c'était risqué de nager hors de la zone délimitée par les drapeaux. L'eau paraît calme mais il y a des courants en dessous, et des rochers. Les gens n'y croient pas, parce que l'endroit semble aussi sûr qu'une baignoire. Il n'y a que quelques petits vieux qui se promènent. Jusqu'où Isabel pourrait-elle marcher en portant Antony ? Elle n'est sûrement pas allée aussi loin. Je n'arrête pas de la voir, la rondeur de sa tête oscillant sur la mer au loin. Isabel est superbe quand elle remonte après un plongeon, les cheveux dégoulinant et les cils collés, figés par l'eau. Mais comment pourrait-elle nager avec le bébé ? Et là, cette silhouette de femme disparaissant dans le café d'où nous venons ? Je suis presque sûre qu'elle portait quelque chose dans les bras. Mais sa robe est bleue et elle n'a pas la même démarche qu'Isabel. L'air fouette et picote. « Le tonnerre, dit Richard, tu l'as entendu ? »

Les gens s'activent plus vite à présent, ils ramassent chaises et enfants puis filent vers le parking. Un frisson de vent effleure soudain la mer et brise sa surface plane en petites vagues huileuses. Les mères trébuchent sur les galets en se dirigeant vers le bord de l'eau et appellent leurs enfants.

« Lauren ! *Rebecca !* Je ne vais pas vous le dire deux fois. » Mais elles le redisent quand même. Je tends l'oreille afin de distinguer les prénoms, comme si l'un d'eux pouvait être celui que j'attends.

« Paul ! *Pa-aul !* »

Les prénoms volent partout. « Tu as entendu ?

— Quoi ?

— Écoute. »

Nous nous taisons et un autre frisson de vent plaque la chemise de Richard contre son torse puis la relâche. « Quoi ?

— J'ai cru entendre quelqu'un appeler Isabel. Écoute.

— C'est impossible. »

Il a raison, c'est impossible. Isabel ne crierait pas son propre nom de cette manière, comme si elle s'appelait elle-même de très loin, de si loin que sa voix ne serait plus qu'un fil se balançant au gré du vent. Isabel est bonne nageuse. On avait toujours nagé loin, toutes les deux, plus que de raison. On savait qu'ensemble on était toujours en sécurité. On s'était entraînées des dizaines de fois aux premiers secours, avec l'une qui remorquait l'autre. Je restais dans l'eau, les yeux hermétiquement fermés, pendant qu'Isabel gigotait comme une grenouille et me ramenait vers la plage. « Tu dois te débattre, Neen », disait-elle, mais je ne le faisais jamais. Plus tard, on a pris l'habitude d'aller discuter au large, là où personne ne pouvait nous entendre. On faisait du surplace et on échangeait des confidences entre les rugissements des vagues. La mer nous portait et on savait qu'on ne risquait nullement de se noyer, quand bien même on l'aurait souhaité.

Toutes les mères rappellent leurs enfants à présent. Elles les veulent à leurs côtés, tout près, les petites jambes nues et bronzées trottinant pour rester à leur hauteur. Les claques et les cris fusent lorsque les enfants refusent de remonter, puis ils lèvent les yeux vers le ciel et, cette fois, ce sont eux qui veulent remonter le plus vite possible. Une ou deux grosses gouttes de pluie tombent alors que nous parcourons la plage dans l'autre sens, à la hâte.

« Elle n'est pas ici.

— Elle y est forcément. Où veux-tu qu'elle soit, sinon ? Elle a dû entrer se mettre à l'abri quelque part.

— Il n'y a que le café.

— C'est là qu'elle doit être alors. »

Les gouttes grossissent et s'écrasent sur le goudron du parking, l'odeur âcre de la pluie après la sécheresse rebondit vers nous. Là-bas au large l'orage se racle la gorge. Le voici qui arrive à toute vitesse maintenant. Un souffle de vent balaie des emballages de chips et de frites et les fait rouler en tous sens.

C'est à ce moment-là que je me retourne pour regarder la mer une dernière fois. Le vent la frappe, chassant l'écume comme il chasse de la plage les derniers estivants. La femme qui bronzait sous le brise-lames a couvert ses seins d'un tee-shirt rouge et ses cheveux volettent frénétiquement. Elle se dépêche d'aller se mettre à l'abri puis elle aperçoit quelque chose derrière nous et ralentit pour regarder. Je me retourne. Et je vois une voiture de police glisser vers le bas de la colline en direction de la plage. Elle avance en silence, pas trop vite, sans sirène ni gyrophare.

Richard aussi l'a vue. « Ça ne doit pas être grave, sinon elle n'irait pas si doucement », dit-il. Mais nous nous mettons à courir.

26

De grosses gouttes nous éclaboussent alors que nous courons. Tout le monde court sur le parking pour aller se réfugier dans les voitures ou sous l'Abribus. Nous atteignons la porte du café mais nous restons un moment sous l'auvent. Richard m'attrape le poignet. « Attends ici, Nina. J'y vais en premier. » Mais je refuse. S'il y a du nouveau, je veux le savoir. Je regarde les fils gris de ses cheveux, son visage dégoulinant de pluie, son corps dans ses vêtements d'été chiffonnés qui paraissent maintenant déplacés, avec cette pluie cinglante et la lumière aussi violette qu'un bleu vieux de trois jours. Je veux me cacher en lui et le cacher en moi. Nous sommes tellement près l'un de l'autre que je l'entends reprendre son souffle quand il s'apprête à parler puis se ravise.

« Que s'est-il passé à ton avis ? Où est-elle ?

— Je vais signaler sa disparition », me répond Richard. Puis il tend la main et écarte de ma bouche une mèche de cheveux mouillée. Ses doigts sont froids.

« Voilà », me dit-il, comme une mère. Il plonge dans sa poche et en ressort un grand mouchoir de coton avec lequel il m'essuie le visage. « C'est mieux comme ça. Tu te sens assez bien pour entrer ? »

La voiture de police s'est garée derrière nous, sur le parking. Nous entendons les deux portières claquer puis deux paires de pieds avancer presque en rythme, mais pas tout à fait. Ils ne courent pas sous la pluie comme les autres. Ils marchent la tête baissée et la femme policier soulève une main lorsqu'un souffle de vent s'attaque à son chapeau.

Richard pousse la porte et nous entrons. Une femme est assise dans le café, le dos tourné. Elle porte une robe bleue, et le petit garçon qui l'accompagne est perché sur une chaise trop haute pour lui. Au moment où nous ouvrons la porte il se retourne pour regarder, l'air pincé et solennel. La femme tient dans les bras un bébé, enveloppé dans un nid d'ange jaune. Je regarde le nid d'ange, que j'ai acheté deux mois avant la naissance d'Antony. Il est d'un jaune satiné, on dirait du jaune d'œuf, et il m'avait plu davantage que les autres, couleur pastel.

« *Quoi que tu achètes, surtout pas de bleu ou de rose, Nina. Mais je n'ai rien contre le jaune.* »

Une autre femme en robe chasuble à fleurs se penche par-dessus le dossier de la chaise et parle à la femme au bébé. Elle dépose une tasse de thé blanche devant elle, sur la table, comme si on était à l'hôpital. La porte du café s'ouvre de nouveau, et les policiers en uniformes sombres sont derrière nous, comme dans un mauvais rêve. La femme policier est trop maquillée. Son bronzage paraît jaune sous cette lumière. Le tonnerre gronde et une rafale de pluie frappe la vitre.

« Cette femme, dis-je tout bas à Richard, regarde le bébé qu'elle tient. »

C'est la femme au bébé qui compte. Les policiers sont auprès d'elle à présent, et la femme agent s'est accroupie de façon que ses yeux soient au même niveau que ceux du bébé. Elle soulève un coin du nid d'ange pour voir son visage. Et tout à coup la scène est délavée, figée, comme si un énorme flash s'était déclenché. Chaque visage est entouré de lumière comme si Dieu avait pointé un doigt sur nous.

Mais ce n'est qu'un éclair. L'air vibre d'attente. Je compte ainsi que je le fais toujours, puis le tonnerre éclate. Il est à cinq kilomètres d'ici et se rapproche vite. Richard n'a pas vu ce que j'ai vu. Il regarde le policier, pas le bébé.

Je me fraye un passage entre les gens, m'approche de la table, de la femme, et regarde le bébé. La femme policier fronce les sourcils dans ma direction. Je tends la main et écarte complètement les plis du nid d'ange du visage d'Antony. Il dort profondément. Je tends le doigt et touche son front chaud. Le cœur bat contre sa fontanelle. La femme policier dit quelque chose mais je n'écoute pas. « Le bébé, dis-je, où vous l'avez trouvé ? »

Je les regarde tour à tour, Antony, la femme, puis de nouveau lui. Je n'arrive pas à saisir la signification de tout ça. C'est bien le nid d'ange jaune bordé de satin que j'ai acheté et posté à Isabel. Cette femme a dû le voler avec le bébé, et c'est pour ça que la femme policier est là, pour la fouiller. Il y a des femmes qui volent des bébés dans les stations balnéaires quand les mères relâchent leur attention et qu'elles bronzent les yeux fermés.

« Elle a pris le bébé de ma sœur », dis-je à voix haute. Richard touche le bras de la femme policier, et le cercle s'ouvre comme une bouche pour nous englober. J'enlève Antony des bras de la femme. Il y a une tache d'humidité sur son nid d'ange.

« Il faut le changer, dis-je.

— Je ne voulais pas le réveiller », répond la femme. Le patron soulève l'abattant du comptoir et nous nous engouffrons tous à la queue leu leu. Il y a une porte marquée « Privé » et une petite pièce de l'autre côté. Richard et moi entrons les premiers avec Antony, suivis des policiers et de la femme accompagnée de son petit garçon.

« Où est Isabel ? Où est ma femme ? demande Richard.

— Nous ne savons pas encore vraiment ce qui s'est passé, monsieur, répond la femme policier. Vous nous confirmez qu'il s'agit bien de votre enfant ? »

Richard baisse les yeux. Il touche le bord satiné du nid d'ange, puis la joue endormie d'Antony. « Oui, répond-il. Dites-moi ce qui s'est passé.

— Nous n'en savons rien. »

Nous sommes dans une petite pièce avec une salopette accrochée au mur, une table en plastique blanc et une chaise au pied bancal sur laquelle je m'assieds. « Je vais vous faire du thé », propose le patron.

Antony a l'air à sa place dans mes bras. « Bien, dit le policier en sortant son carnet, donc c'est votre bébé, monsieur. Mais votre femme n'est pas avec vous. Et qui est... ?

— Bien sûr que ma femme n'est pas avec moi. C'est pour ça qu'on la cherche. Voici ma belle-sœur, la sœur de ma femme. » Tout ça a l'air tellement respectable.

« Interrogatoire de routine, explique la femme policier. Votre épouse est peut-être rentrée chez vous. Les femmes sont bizarres juste après un accouchement, distraites. On en a eu une qui avait laissé son bébé au supermarché. En fait, elle avait eu le temps de retourner chez elle, avant de se souvenir qu'elle avait un bébé.

— Ma sœur n'est pas comme ça, lui dis-je.

— Si vous saviez ce qu'on voit », me répond-elle.

Je ne regarde jamais les accidents. Si je pars en voyage, qu'une ambulance arrive sur le parvis de la gare et que deux brancardiers courent vers un train, je ne regarde pas. C'est ma mère qui m'a enseigné ça. On ne regarde pas les gens que l'on emmène d'une vie vers l'autre. Ma mère avait vu combien nous étions avides, Isabel et moi, et curieuses, parce que nous pensions qu'il ne nous était encore rien arrivé.

Mais j'ai vingt-neuf ans maintenant, Isabel trente-deux, et ça fait longtemps que nous avons percé le mur de dos qui cache les cercles de chaos et de tristesse. Personne d'autre ne pénètre dans la petite arrière-salle du café. Tout le monde est debout, sauf moi, puis le patron apporte d'autres chaises en plastique qui s'entrechoquent lorsqu'ils prennent tous place autour de la table. Il n'y a pas de fenêtre, donc nous ne voyons pas l'orage, mais nous entendons le tonnerre au-dessus de nos têtes, et la pluie qui s'abat sur le toit. La femme qui tenait Antony s'adresse à nous et aux policiers, et durant de longs moments j'en oublie complètement l'orage.

27

Ce qui a débuté à ce moment-là, dans l'arrière-salle du café, se poursuit toujours. Des fragments de l'histoire s'emboîtent d'une façon, puis d'une autre. De temps en temps un nouvel élément survient et il nous faut tout redéplacer.

Vers 1 h 30 Isabel a étalé sa serviette verte à rayures sur sa natte toute neuve et s'est assise à quelques mètres de Mme Patricia Newsome, qui passait la journée au Gap avec son fils Lewis âgé de quatre ans. Il y avait plein de place sur la plage, et, sur le moment, Pat Newsome a trouvé curieux qu'Isabel choisisse de s'asseoir aussi près. Mais c'était peut-être parce qu'elle était seule avec un bébé qui semblait tout jeune. Avant ça Isabel avait réglé sa course à Mickey Nye devant le Café Oasis, acheté ensuite un tube de crème solaire indice 25 et une natte japonaise, puis traversé la route pour rejoindre la plage. Le conducteur d'une Volkswagen Estate se souvient d'avoir freiné parce qu'elle semblait éprouver des difficultés à traverser la route avec le relax du bébé dans une main, le vanity, la natte et le sac dans l'autre. Elle marchait très lentement.

Le bébé s'est mis à pleurer et Isabel lui a donné son biberon tout en engageant la conversation avec Pat. Elles ont échangé leurs prénoms.

« Je m'appelle Pat, et voici Lewis. Dis bonjour à la dame, Lewis. Il est un peu timide.

— Bonjour, Lewis. Moi, c'est Nina. »

Là-dessus Pat est catégorique. Elle se souvient d'avoir mentalement ajouté Nina à sa liste de prénoms éventuels : Pat est enceinte de six mois, et elle souhaite que son deuxième soit une fille. Elle s'est dit que Nina serait joli comme second prénom. Je connais pratiquement chaque mot que Pat et Isabel ont échangé cet après-midi, c'est du moins ce que je crois. A certains moments, je songe que Pat tait ou a oublié un détail en apparence anodin et pourtant vital. Mais plus je regarde son visage clair et pâle de femme enceinte et moins je suis portée à croire qu'elle puisse cacher quelque chose délibérément.

« Nina, c'est moi, dis-je, assise avec le bébé dans les bras. C'est à Isabel que vous avez parlé.

— Comment ça ?

— C'est moi qui m'appelle Nina. Elle, c'est Isabel. Elle vous a donné mon prénom au lieu du sien.

— Pourquoi elle aurait fait ça ?

— Je ne sais pas. Peut-être qu'elle pensait à moi à ce moment-là.

— Vous êtes proches, dit Pat. Ça se sent. Ça doit être terrible pour vous. » Ses yeux gris me fixent et je sais que Nina a été mentalement rayé de la liste de prénoms. Mais Pat ne peut pas me rendre ces heures qu'elle a partagées avec Isabel.

« Elle vous a paru comment quand vous lui avez parlé ?

— Oh, eh bien, vous savez, un peu fatiguée. Dès qu'elle s'est assise j'ai trouvé qu'elle n'avait pas l'air bien, mais bon, elle venait d'accoucher. Elle m'a dit que c'était la première fois qu'elle sortait avec lui. Je lui ai conseillé de prendre des leçons de conduite pour qu'elle puisse le faire plus souvent. Elle était très gentille avec Lewis. »

Quand on était petites, Isabel et moi, on se retournait pour regarder les accidents. On voulait entrer de force dans l'action. On pensait qu'il ne nous était encore rien arrivé d'important. Ou peut-être que j'étais seule à le penser, et qu'Isabel était plus sage.

« Il devait être environ 1 h 30, dit Pat. Non, un peu plus tard que ça parce qu'on avait mangé notre pique-nique, hein, Lewis ? Elle donnait le biberon au bébé et on s'est mises à parler. Ça se fait tout seul quand on a des enfants. Lewis n'en revenait pas à quel point le bébé était minuscule. Il n'arrêtait pas de demander si le bébé pouvait construire un château de sable ou s'il pouvait nager. Elle n'avait pas apporté de Thermos alors elle m'a demandé si je voulais bien garder un œil sur son fils pendant qu'elle filait acheter du café. Elle a aussi rapporté une sucette pour Lewis. »

Les yeux du petit garçon papillonnent d'un visage à l'autre, sans comprendre. « La dame, elle m'a donné une sucette, déclare-t-il.

— C'est vrai, elle était gentille cette dame, hein ? C'est comme ça qu'on a engagé la conversation. Elle m'a dit que c'était la première fois qu'elle sortait le bébé. Je lui ai raconté à quel point j'avais peur de sortir avec Lewis tout au début. Je craignais toujours de me retrouver coincée quelque part et de devoir lui donner le sein devant tout le monde.

Elle m'a dit : “Je n'allaite pas Colin.” »

Richard ne cille pas. Il est penché en avant, le visage impassible, comme s'il n'arrivait pas vraiment à entendre ce qu'elle dit. Peut-être qu'il a de nouveau oublié qui est Colin. La femme policier n'a pas cessé de prendre des notes. Je regarde la figure du petit garçon et me rends compte qu'il a vu Isabel, qu'il l'a peut-être même touchée. Il fait partie de ces heures que nous essayons d'assembler. Isabel lui a souri, elle lui a dit bonjour. Elle lui a donné une sucette, et elle s'est fait bronzer un moment avant que ça ne se couvre. Elle a dit qu'elle devrait changer la couche du bébé, mais elle ne l'a pas fait. Pourtant, Pat avait remarqué qu'elle avait apporté tout le nécessaire avec elle. Mais le bébé n'était pas sale, juste mouillé. « On papotait, c'est tout. Rien de spécial. On parlait bébés. Elle était très pâle et je lui ai demandé si elle n'allait pas avoir de problème pour rentrer chez elle, sinon je pouvais la ramener en voiture si elle voulait. Je savais qu'elle était arrivée en taxi mais c'est pas toujours facile d'en trouver un au Gap pendant la saison. Elle m'a répondu que son mari viendrait la chercher. »

Ma sœur portait un maillot noir et un sarong jaune noué à la taille. Elle avait mis de la crème solaire indice 25 sur le visage et les bras du bébé en dépit des nuages qui s'amoncelaient déjà à ce moment-là. Pat avait remarqué qu'Isabel était extrêmement prudente dans tous ses gestes avec l'enfant et qu'elle semblait angoissée, pas sûre d'elle. Elle avait demandé conseil à Pat sur la quantité de crème à mettre.

« S'il a votre peau il n'aura aucun problème », lui avait-elle répondu en regardant les épaules lisses et dorées d'Isabel. Mais Isabel avait levé les yeux et dit : « Oh non, il ne me ressemblera pas. »

Pat avait trouvé ça curieux. Isabel avait l'air tellement sûre, comme si elle avait lu l'avenir du bébé. Et on s'imaginerait qu'une femme avec la beauté d'Isabel souhaiterait la transmettre à ses enfants même sans être vaniteuse, ce qui semblait être le cas.

« Je ne supporte pas ces femmes qui jouent au top model et sont toujours tirées à quatre épingles », dit Patricia Newsome, enceinte de six mois. Mais Isabel lui plaisait bien.

« Regardez-le », lui avait dit cette dernière. Et elle lui avait présenté le bébé, posé sur ses avant-bras, comme si elle le lui offrait sur un plateau. Pat avait répondu qu'il était splendide.

« Vous trouvez vraiment ? » Isabel l'avait regardé un long moment puis l'avait couché.

Vers 3 heures environ, ou un peu plus tard, elle

s'était levée d'un coup et avait pris le bébé. Pat s'était demandé si elle avait aperçu son mari qui descendait la chercher. Curieuse, elle se demandait déjà à quoi pouvait ressembler le mari de cette femme. Elle dit ça puis elle rougit un peu en regardant Richard. « C'est parce qu'elle n'était pas comme tout le monde, explique-t-elle.

— Qu'est-ce que vous voulez dire, pas comme tout le monde ? » demande le policier, mais Pat se contente de répéter d'une voix tranquille et assurée : « Elle n'était pas comme tout le monde, c'est tout. »

Isabel avait dit qu'elle allait marcher un peu. Elle voulait se dégourdir les jambes.

« N'allez pas trop loin », lui avait conseillé Pat. Elle ne sait toujours pas pourquoi elle lui a dit ça, sauf qu'Isabel avait l'air bigrement pâle.

« Oh non, ne vous inquiétez pas. Je vais juste emmener le bébé le long de la plage pour lui montrer la mer, puis je mangerai un morceau au café. Je meurs de faim.

— Vous êtes sûre qu'Isabel a dit ça ?

— Quoi ?

— "Je meurs de faim."

— Oh que oui, elle m'a expliqué qu'elle n'avait rien mangé depuis le petit déjeuner. Je lui ai bien offert un sandwich, mais elle m'a répondu qu'elle voulait quelque chose de chaud. Elle n'avait vraiment pas l'air bien et je me suis dit qu'elle ne devrait pas emmener le bébé aussi loin. Elle me l'avait confié quand elle était partie chercher du café, donc je lui ai proposé de le surveiller une nouvelle fois. Il ne poserait aucun problème, il dormait à poings fermés. Je lui ai dit : "Je peux garder le bébé si vous voulez. Je crois qu'une demi-heure de tranquillité ne vous ferait pas de mal." Mais elle n'a pas voulu. Elle a répondu : "Non, il faut qu'il vienne avec moi." Je la comprenais parce que j'avais du mal à laisser Lewis avec qui que ce soit au début, même avec ma mère.

En plus elle ne me connaissait pas tant que ça. Alors je lui ai dit : “Ce serait bon pour Lewis. J’essaie de l’habituer à l’idée du bébé. Vous me rendriez service, franchement.” Alors elle a répondu : “Vraiment ? Vous êtes sûre ?

» — Mais oui. Remettez-le dans son relax et on veillera sur lui tous les deux, hein, Lewis ?”

» Elle l’a installé et elle a attaché les sangles de sécurité. Puis elle lui a posé une couverture sur les pieds, alors qu’il ne faisait pas vraiment froid. Elle est restée agenouillée pendant une minute, puis elle a dit : “Vous êtes sûre que je ne devrais pas l’emmener avec moi ?” Je lui ai répondu : “Je ne vais pas m’enfuir avec, vous savez, je ne peux pas courir bien loin dans mon état.” Elle a souri puis elle s’est levée, elle a pris son porte-monnaie dans le vanity et elle s’est éloignée sur la plage. »

Elle a souri puis elle s’est levée, elle a pris son porte-monnaie dans le vanity et elle s’est éloignée sur la plage. »

« Vous l’avez suivie du regard ?

— Pardon ?

— Vous l’avez regardée s’en aller, le long de la plage ?

— A vrai dire, non. J’avais Lewis, vous comprenez, et le bébé.

— Bien sûr. »

Si j’avais été là, j’aurais regardé. Même si Isabel ne s’était pas retournée j’aurais vu ses pieds nus tâtonnant avec précaution sur les cailloux, ses longues jambes fines et brunes, le sarong jaune, son dos nu dans le maillot de bain noir décolleté.

« A partir de quel moment avez-vous commencé à vous inquiéter ? »

Pat rougit. « Dès qu'elle a été partie. C'est vrai, c'est pas des paroles en l'air. Elle avait quelque chose de bizarre. On sentait qu'elle avait besoin qu'on s'occupe d'elle. Très franchement, j'étais surprise qu'on l'ait crue suffisamment en forme pour la laisser venir ici toute seule. Elle avait l'air plutôt désemparée. » Pat regarde Richard, puis moi. « Je ne sais pas pourquoi je vous raconte tout ça. Vous la connaissez bien mieux que moi.

— Continuez.

— Il y a quelque chose qui collait pas, hein ?

— C'est vrai, monsieur, ça nous aiderait si on pouvait avoir des informations complémentaires », répond le policier. Mais juste à ce moment-là le patron apparaît sur le pas de la porte. Un homme est venu au café rapporter un porte-monnaie de femme. Il y a un nom à l'intérieur.

Il avait trouvé le porte-monnaie d'Isabel un peu plus loin sur la plage, là où le drapeau rouge flotte en permanence. Ce n'était ni près de l'eau ni sur la route, mais environ à mi-chemin, sur les galets. C'est à ce moment-là que le policier s'est levé très doucement et qu'il est sorti passer quelques coups de fil.

Il ne manquait rien dans le porte-monnaie. A l'intérieur, il y avait dix-huit livres quarante-deux en liquide, une carte de crédit, une carte bancaire, quatre reçus dans un compartiment à fermeture Éclair, un bout de papier avec un numéro de téléphone dessus, et une minuscule photo noir et blanc que je n'avais pas vue depuis des années. Une petite fille y tenait une poupée. Ses yeux étaient plissés à cause du soleil et le vent soufflant de la mer rejetait sa frange en arrière. C'était moi, debout devant notre maison à St. Ives. Je devais avoir environ quatre ans. *Nina Close, 6 Channel Terrace, St. Ives, Cornouailles, Grande-Bretagne, le Monde*. La poupée c'était Rosina, pas Mandy. Isabel avait dû me laisser la tenir pour la photo. Je souris à l'objectif et mes bras forment un berceau fier et démesuré.

Très longtemps après j'ai composé le numéro de téléphone qu'Isabel avait écrit sur le bout de papier, mais tout ce que j'ai obtenu, c'est une voix électronique qui répétait : *Le numéro que vous avez demandé n'est pas en service actuellement.*

28

Le ciel ressemble à un dépotoir. Des projecteurs, des phares et des torches le quadrillent de vilains dessins en rebondissant sur le néant. A force de les regarder les yeux me piquent. Il est maintenant 10 heures, et les recherches pour retrouver Isabel durent depuis tellement longtemps qu'elles se sont inscrites en moi comme une nouvelle vie qui n'en finirait pas. Les gens entrent et sortent avec des tasses de café et des messages chuchotés. Des pneus crissent sur les galets. Je garde le bébé dans mes bras la plupart du temps, sauf quand je perçois quelque chose et qu'il me faut savoir ce qui se passe. Je suis sortie dès que j'ai entendu une sirène, et j'ai vu une ambulance bondissant sur la route avec son grand derrière surélevé qui oscillait doucement. Une lumière bleue tournoyait sur le toit. Je me suis mise à courir mais la femme policier m'a rappelée. Ce n'était pas Isabel, c'était un des enquêteurs qui était tombé d'un brise-lames. Il s'était cassé une jambe mais il allait bien.

Enveloppé dans un ciré, Richard était parti dans l'un des bateaux. Les policiers n'avaient pas voulu l'emmener à cause des conditions météo exécrables mais il y était allé quand même. J'ai regardé le bateau glisser et tanguer sur l'eau alors que la marée montait et que l'orage grondait toujours. A son retour, il tremblait.

« Il fait tellement noir qu'on ne distingue rien », m'a-t-il expliqué. Il avait les yeux grands ouverts, hagards. « Il y a tellement d'eau qu'on ne retrouverait jamais personne là-dedans. Et les lumières n'arrangent rien. » La femme policier lui a apporté du thé, et son visage exprimait sa désapprobation. Antony pleurnichait et j'ai glissé mon doigt dans sa bouche pour qu'il se tienne tranquille, comme j'avais vu Susan le faire. Il a sucé avec force. Il y a trois soirs de ça, Isabel était dans son bain pendant que je lavais ses soutiens-gorge et ses slips dans le lavabo. « Regarde, Neen », et elle avait pincé la peau autour de ses seins jusqu'à ce que du lait en jaillisse comme une fumée toute fine. On l'a regardé se répandre en spirales dans l'eau du bain où il s'est dissous.

« Tu as déjà goûté ? lui ai-je demandé.

— Mm.

— Quel goût ça a ?

— C'est sucré. Un peu comme un Milky Way. Tu peux goûter si tu veux. »

L'orage gronde à l'intérieur des terres à présent, au-delà des Downs, mais il pleut toujours, une pluie fine et régulière. L'hélicoptère est de retour, volant bas dans le ciel, avec son grand faisceau blanc qui s'étale sur l'eau. Les pales font le même bruit qu'un fouet électrique à pleine puissance. Ce qui se passe ici aurait sa place aux infos, mais on ne peut pas éteindre le poste. Richard vient de partir au bord de l'eau pour la centième fois. On voit sa silhouette voûtée avancer lourdement sur les galets, avec la grande ombre d'un projecteur derrière. Je jette un coup d'œil à Antony, endormi dans son relax. Il peut bien rester seul quelques minutes.

Je suis trempée quand j'arrive près de Richard. Il est debout sur les galets à quelques mètres du rivage. Je m'avance derrière lui et glisse mon bras sous le sien. Il sursaute, le retire, et je suis toute secouée.

« Ne t'inquiète pas, c'est moi.
— Je t'ai fait mal ? Excuse-moi.
— J'aurais dû réfléchir.
— Tu étais tellement mouillée, tu comprends...
— Que tu as cru que c'était elle.
— Oui. » Son visage est luisant de pluie.
« Je suis désolée. Tu attendais, et tu t'es dit...
— Mais non ! » Il dit ça durement, d'un ton hostile. « Je ne l'attendais pas, contrairement à ce que tu penses. »

J'écoute les vagues se briser. C'est l'heure du changement de marée, le moment où l'eau est la plus violente. Il ne faut jamais se baigner à marée descendante. Si j'entrais maintenant dans cette eau elle m'entraînerait là où Isabel a disparu. Je pourrais la retrouver.

« Elle est partie, dit Richard, d'une voix monocorde et sans appel. Elle a fait ce qu'elle voulait.
— Ils pensent que c'est un accident.
— Bien sûr que non. Et tu le sais aussi bien que moi. »

Une longue langue de mer se précipite et éclabousse mes pieds de blanc. Il fait froid. La dernière grande vague avant que la mer ne se retire. Je songe avec horreur qu'il croit qu'Isabel s'est suicidée à cause de nous.

« Ça fait des années que ça couve », ajoute Richard. Les coups durs et sourds de mon cœur sont tellement forts que mes paroles les couvrent à peine. La chaleur m'inonde. « Elle est arrivée à ce qu'elle voulait, répète-t-il.
— Personne ne peut souhaiter ça.
— Si tu élimines toutes les autres possibilités, c'est la seule qui reste.
— Elle a eu le bébé. Elle ne pouvait pas avoir envie de se suicider. Les femmes qui ont des bébés ne se suicident pas.
— Dieu seul sait pourquoi elle l'a eu, dit Richard.

Mais elle a toujours été tellement bornée ! Bordel, il fallait toujours qu'elle fasse ce qu'elle avait envie de faire. Et tous les autres pouvaient aller se faire foutre ! »

Il pleure, avec ce bruit de ventre primitif que les hommes comme lui font quand ils pleurent.

« Ce n'était pas ta faute. » Je crie pour couvrir le bruit de la mer. « Ça n'avait aucun rapport avec toi. »

Mais il continue de pleurer, et la mer concasse les galets en se retirant tandis que le vent me fouette le visage.

Une autre femme policier entre avec un biberon à la main. « Voilà. » Elle est fière d'elle. J'avais épuisé les biberons pour Antony, alors elle a parcouru des kilomètres en voiture et fait rouvrir une pharmacie pour trouver du lait en poudre. Je la rembourse en songeant à quel point c'est étrange d'acheter du lait en poudre à un agent de police au milieu de la nuit.

« Ce café est toujours ouvert aussi tard ? dis-je.

— Oh, oui. C'est le seul par ici, les affaires sont bonnes, des jeunes y viennent, alors on le surveille. On a eu des petits problèmes de drogue il y a quelques années. Joe vous a fait bouillir le biberon, vous n'avez pas à vous inquiéter, c'est stérile. »

Elle me parle comme si j'étais la mère d'Antony. Le lait est juste à la bonne température, et Antony gémit dans son relax, pas encore éveillé mais sentant poindre la faim à la lisière du sommeil. A moins que ce ne soit le bruit de l'hélicoptère qui l'ait dérangé. Il dort depuis des heures. Je ne l'ai jamais vu dormir comme ce soir. Le claquement des pales s'amplifie alors que l'hélicoptère survole la mer à vive allure en revenant vers le café, et le visage du bébé se contracte lorsqu'il laisse échapper son premier pleur. Je me dis : « C'est ta mère qu'ils cherchent. Voilà ce qui t'a réveillé », mais je n'arrive pas à y croire. La femme s'approche de la fenêtre et lève les yeux tandis que je frotte la tétine contre les lèvres d'Antony puis que je la glisse dans sa bouche. Il se met à téter avidement en gardant les yeux fermés.

« Ils vont où maintenant ? Vers l'intérieur des terres ? » Elle me regarde, le visage fermé. « Je ne pense pas. » Elle s'interrompt. « Je crois plutôt qu'ils vont arrêter les recherches pour ce soir, je peux me renseigner si vous voulez.

— Mais ils ne l'ont pas retrouvée !

— Quand il fait noir comme ça, autant chercher une aiguille dans une botte de foin, même avec les projecteurs.

— Donc ils vont arrêter les recherches.

— Je n'ai pas dit ça. Ils recommenceront à la première heure, et ils continueront toute la journée s'il le faut.

— Mais il sera trop tard ! Elle ne peut certainement pas... »

Mon esprit est vide. Je pense à Isabel là-bas dans l'obscurité ruisselante. Il fait froid après l'orage, et il fera encore plus froid dans l'eau. Les vagues déferlent sur la plage, donc plus loin ça doit secouer. Même une excellente nageuse comme Isabel aurait des difficultés. « Si elle est dans l'eau, ce n'est pas très encourageant, dit la femme. Mais bon, on n'est pas sûrs qu'elle y soit.

— Comment ça ?

— Il arrive que les gens disparaissent. Ils sont contrariés. Ils se cachent quelque part. Vous seriez étonnée du nombre de fois où une personne disparue réapparaît.

— Mais personne ne l'a vue. Elle aurait pu aller où ? »

Elle a peut-être marché sur la plage, plus loin qu'on ne l'en aurait crue capable. Elle a peut-être trouvé une fissure dans les falaises crayeuses où le surplomb l'a tenue au sec pendant l'orage. Qui dit qu'elle n'y est pas encore, recroquevillée sur elle-même, à attendre ? La femme ne répond pas. Ça fait des heures qu'elle est là, et elle doit être fatiguée elle aussi. Elle dit les mots qu'il faut machinalement, mais son regard montre bien qu'elle préférerait être ailleurs.

« Il l'aime, ce biberon », dit-elle.

La façon dont elle dit ça m'incite à lui demander : « Vous avez des enfants ?

— Un seul. Un petit garçon, il a deux ans. » Elle sourit presque en pensant à lui, puis son visage redevient sérieux. Ils continuent de croire qu'Isabel a eu un accident. C'est ce qu'ils nous disent en tout cas. Il faisait chaud et elle a décidé tout d'un coup d'aller se baigner. Ils savent que lorsqu'elle a quitté Pat elle n'est pas allée au café. Personne ne l'a revue là-bas, ni au magasin ni sur le parking. Ils ont vérifié les bus et les compagnies locales de taxis. Rien. Elle a peut-être marché le long de la plage dans cette chaleur lourde d'avant l'orage, et elle a pensé qu'un petit plongeon lui ferait du bien. Elle ne s'est pas rendu compte que ce n'était pas prudent de nager en dehors de la zone délimitée par les drapeaux. Isabel, qui a vécu à St. Ives jusqu'à l'âge de dix-huit ans, n'aurait pas compris la signification d'un drapeau rouge ! Il n'y a jamais beaucoup de monde de ce côté-là de la plage, ce n'est donc pas étonnant que personne ne l'ait vue. Elle est entrée dans l'eau et s'est éloignée là où elle n'avait plus pied. Il y a du courant. Elle était encore faible après l'accouchement et elle a pu se retrouver très vite en difficulté. C'est leur version.

« C'était une bonne nageuse, dis-je. Isabel a eu sa médaille d'or à l'âge de dix ans. On a été élevées près de la mer. »

J'avais peur qu'ils abandonnent trop tôt, pendant qu'Isabel continuerait de nager, les cheveux étalés autour d'elle sur la mer à chaque brassée, plongeant puis remontant, le visage mouillé mais toujours hors de l'eau. L'eau salée la maintiendrait à flot. Elle ne paniquerait pas, elle continuerait de nager. Je dois m'accrocher à cette image d'Isabel qui nage, sinon elle va abandonner. Elle va couler, essayer d'appeler, puis elle va se noyer.

Richard entre et s'assied à côté de moi. Son visage me paraît vide, presque paisible. Il règne un tel silence que l'on entend le sifflement de l'air s'échappant du biberon que tète Antony. Puis Richard dit : « Il n'y a rien là-bas, Nina. D'après eux, on ferait mieux de rentrer. Ils reprendront à l'aube. »

Ils s'arrêtent. Ils vont éteindre les projecteurs et le noir fluide du soir sur la mer recouvrira tout. L'hélicoptère a peut-être déjà atterri. Tout le monde va rentrer chez soi et raconter l'histoire, qui à son mari, qui à sa femme, puis ils prendront un verre et parleront d'autre chose.

« Attendons encore un peu, dis-je.

— Vous seriez mieux chez vous, conseille la femme policier, on vous appellera dès qu'il y aura du nouveau. Vous avez surtout besoin d'un bain chaud et de vêtements secs. » Elle n'arrête pas de me demander de l'appeler Elaine mais j'oublie tout le temps. Elle dit les mots qu'il faut mais sa voix est fatiguée ; elle aussi veut rentrer chez elle, se défaire de ses soucis en même temps que de son uniforme. Elle en a assez de nous. Je me tourne vers Richard. « Mais on doit attendre, Richard, parce qu'Isabel... » Je n'ai pas envie de dire ça devant la femme assise là, flegmatique. Elle écoute. Elle est entraînée à attendre longtemps ce qu'elle souhaite entendre.

« ... Isabel ne reviendrait pas avec toutes ces lumières et ce bruit. Tu sais comme moi qu'elle détesterait ça. Elle attendrait qu'il fasse de nouveau nuit. Elle s'est peut-être endormie quelque part. Tu sais bien à quel point elle était fatiguée. »

On frappe à la porte et la femme se lève. « Je n'en ai pas pour longtemps, déclare-t-elle.

— Nina, dit Richard, on doit rentrer. Susan et Edward attendent toujours.

— Mon Dieu, je les avais complètement oubliés.

— Oui, je sais, mais ça fait des heures qu'ils attendent. Edward serait venu si je ne lui avais pas demandé de rester à la maison au cas où Isabel téléphonerait. »

La porte s'ouvre de nouveau et revoici la femme accompagnée d'un policier que nous n'avons pas encore vu. Il hoche la tête et s'assied de l'autre côté de la table.

« Je suis désolé. Nous avons eu un coup de fil en réponse à un appel à témoins que nous avions lancé à la radio locale il y a quelques heures ; je crains que les nouvelles ne soient pas bonnes. » Il s'arrête, et l'air de la pièce s'épaissit comme s'il se remplissait d'eau. Je prends un mégot dans le cendrier et déchire le papier en petits morceaux. Le tabac tombe en fils dorés. Le policier regarde Richard, puis moi, son gros visage ridé est tout près de nous quand il se penche en avant. J'éprouve l'étrange sensation de bien connaître cet homme, d'avoir couché avec lui il y a très longtemps, mais je n'arrive pas à m'en souvenir très clairement. L'atmosphère est lourde, sexuelle, rebutante. J'ai envie d'arrêter sa bouche avec mes lèvres.

« Un monsieur a téléphoné, il avait reconnu la description de votre épouse. Il a dit qu'il avait vu une femme qui lui ressemblait descendre vers la mer, dans la zone des drapeaux rouges. Elle a avancé dans l'eau, et bien qu'il ait été sur le point de quitter la plage, il a couru vers elle pour la prévenir que c'était dangereux de se baigner à cet endroit. Il nous a dit qu'elle lui avait semblé malade. Elle lui a répondu de ne pas s'inquiéter, qu'elle connaissait la côte et qu'elle ne risquait rien. Elle voulait... » Le policier se racle la gorge.

« Quoi ? » L'horreur fourmille à fleur de peau. Qu'avait dit Isabel ?

« Elle voulait se rafraîchir. Il a répondu qu'on en avait assez de cette chaleur, et elle a acquiescé, en ajoutant qu'elle serait contente quand ça serait terminé.

— C'est tout ce qu'elle a dit ? demande Richard.

— C'est tout ce qu'il nous a raconté, monsieur. Seulement quelques mots sur le temps qu'il faisait. Arrivé en haut de la plage il a regardé en arrière et elle était toujours là, debout dans l'eau, les yeux vers le large. C'est resté gravé dans son esprit. Alors dès qu'il a entendu l'appel à témoins il a téléphoné. »

La mer huileuse lèche les cuisses d'Isabel. Elle est seule dans l'eau. Le renflement des galets et le brise-lames la rendent invisible de la grande plage. L'homme est debout et la regarde depuis les hauteurs. Il lui suffirait de lever un doigt pour la masquer mais elle reste gravée dans son esprit. Il voit le dos profondément décolleté de son maillot noir, son sarong jaune retombant mollement autour d'elle, le tissu mouillé qui traîne. Tout est gris, horizontal et tranquille, sauf Isabel.

« Parfois les gens inventent n'importe quoi, dit doucement Richard, pour être dans l'action.

— Je suis désolé, monsieur. C'était bien de votre femme qu'il parlait. Il nous a donné des détails qui n'étaient pas dans le descriptif que nous avions diffusé. Je suis vraiment désolé. »

Il se redresse dans son siège, et je sais qu'il estime l'affaire close. Une fois l'homme hors de vue, elle a dû avancer et s'enfoncer de plus en plus loin dans l'eau sans vie. Elle a peut-être songé à quel point celle-ci était différente de la mer violette et turquoise de notre enfance, ou peut-être qu'elle n'a songé à rien. Je sais qu'il arrive un moment où on ne pense plus du tout. Puis tout à coup le lit de galets a disparu et elle a marché sur l'eau. Elle est entrée dedans et l'eau lui a recouvert la tête. Mais ce n'est pas si facile de se noyer, Isabel le savait. Peut-être que c'est à ça qu'elle pensait lorsqu'elle a dit à l'homme qu'elle serait contente quand ce serait fini.

29

Me voici dans le jardin d'Isabel. La pluie s'est arrêtée, mais tout est mouillé et ploie sous le poids de l'eau. Il flotte dans l'air une odeur de fumée, comme celle des chrysanthèmes. Je descends l'allée qui mène au cerisier. Une petite lune estompée brille suffisamment pour guider mes pas. Derrière moi, chaque fenêtre de la maison scintille. Susan a allumé toutes les lumières en nous attendant.

Edward n'est plus là. Quand Richard l'a informé que les recherches avaient été arrêtées, il a répondu : « J'y vais. » J'imaginais que Richard essaierait de l'en dissuader, mais non. Il lui a même dit : « Je t'emmène.

— Ne te dérange pas, je prendrai un taxi, lui a répondu Edward.

— Mais vous devez manger quelque chose d'abord, a insisté Susan. Vous avez une tête de déterré. » Margery est venue et elle a fait de la soupe. Tous les signes de la fête d'Isabel ont été débarrassés : la table, la nappe, les fleurs. Un sac poubelle noir est avachi près de la cuisinière. Je l'ai ramassé et il ne pesait presque rien. Il était plein de tournesols, d'anémones du Japon et de dahlias noirs. J'avais déjà jeté toute la nourriture achetée à Brighton dans une poubelle municipale au Gap. Plus de figues que je n'en ai jamais eu, parfaites à l'intérieur de leurs peaux veloutées. Dans la précipitation on les avait balancées à l'arrière de la voiture et elles s'étaient écrasées, décolorées, en vomissant leurs graines.

En situation de crise Margery est merveilleuse. Cette femme était faite pour les guerres et les sièges, pas pour les Jeunes Fermiers. La maison palpitait comme un QG de l'armée, avec Margery au standard. Elle est sortie de la cuisine en portant un plateau de café fort et nous a tous balayés du regard, Richard, Edward, et moi. « Je vais appeler un taxi », a dit Edward, et il a disparu dans le couloir. Je l'ai entendu bouger en haut et quand il est redescendu il avait son sac à la main. « Le taxi sera là dans un quart d'heure, a-t-il annoncé.

— Mais tu vas faire quoi là-bas ? Il n'y a nulle part où s'asseoir. Le café est fermé.

— J'attendrai. Dans quelques heures le soleil sera levé. »

Il avait envie d'être près d'Isabel, sans nous, dans le dernier endroit où elle avait été. « Richard, a-t-il lancé, puis il s'est tu.

— Quoi ?

— J'aimerais aller dans la chambre d'Isabel.

— Sa chambre ?

— Oui.

— Mais bien sûr. » Le *pourquoi tu me demandes la permission ?* flottait dans l'air. Après tout Edward a passé toute la soirée à la maison. Il aurait pu rester des heures dans la chambre d'Isabel s'il avait voulu.

« La porte est verrouillée.

— Impossible, elle la laissait toujours ouverte.

— J'ai essayé d'ouvrir. Et je n'ai pas réussi à trouver la clé.

— Je ne savais même pas qu'il y en avait une. »

Et pourtant si. C'est Susan qui l'a trouvée. Elle a regardé au-dessus du linteau et elle a vu un bout de métal. « La voilà ! »

C'était la bonne : elle a tourné dans la serrure et la porte s'est ouverte. Il y avait le lit qu'elle partageait avec Richard et dont les couvertures étaient tirées, lisses et bien bordées. Elle y dormait seule avant qu'il n'arrive. Ça a toujours été la chambre d'Isabel. L'air portait son odeur, celle de son corps, de son parfum, de ses vêtements. Sa chemise de nuit était posée en tas sur une chaise. La fenêtre, grande ouverte, laissait entrer l'air frais de la nuit et une tache d'humidité était apparue sur le plancher, là où le vent avait poussé la pluie. Isabel n'avait pas prévu qu'il pleuvrait, même si elle avait répété chaque jour que le jardin en avait drôlement besoin. J'ai regardé la tache sur le parquet. Avec quelle insouciance la pluie avait pu tomber là, comme sur un visage tourné vers le ciel.

Edward a annoncé : « Je vais rester un moment ici, si ça ne vous dérange pas, jusqu'à l'arrivée du taxi. » Il avait envie qu'on s'en aille. Nous sommes sortis de la pièce et quand la porte s'est refermée je me suis rendu compte que c'était probablement la dernière fois qu'il serait dans cette maison où il était si souvent venu passer quelques jours ou quelques semaines. Pourquoi reviendrait-il ? La maison évoquait Isabel. Nous l'avons laissé debout au milieu de la chambre.

Il est redescendu dix minutes plus tard, silencieux, le visage fermé. Le taxi attendait en haut du chemin, son moteur tournait.

« On viendra plus tard », a dit Richard, et Edward a hoché la tête sans répondre. Susan pleurait. Nous avons tous attendu dans le couloir, écoutant le taxi faire demi-tour puis descendre le chemin. Ensuite Margery est rentrée et a annoncé qu'elle avait préparé des œufs au bacon, que le mieux était de manger puis d'aller se coucher. Demain, la journée serait longue.

Mais la longue journée d'aujourd'hui n'est toujours pas terminée. Mes vêtements, qui se sont frottés contre les feuilles mouillées, sont trempés. Je suis maintenant à côté des dahlias. Je caresse les tiges soyeuses à l'endroit où Isabel les a coupées d'un coup de sécateur puis je poursuis mon chemin. Tous les parfums s'épanouissent dans l'air humide. Je passe devant le jasmin et les fleurs de tabac. L'odeur forte de la pluie sur la terre desséchée est partout, et le jardin aspire et bruit autour de moi. Je n'arrête pas de croire que j'entends la rivière, tout en sachant que c'est impossible. Si je grimpais sur le mur, je la verrais peut-être scintiller alors qu'elle se dirige vers la mer à dix kilomètres. Je m'assieds et j'écoute les gouttes d'eau glisser sur les feuilles autour de moi et retomber sur le sol.

J'ai dû m'endormir. Aussitôt, Isabel est à mon côté, dans sa robe Vichy verte. Ses jambes nues et minces sont égratignées, et aux pieds elle porte une vieille paire de sandales. « Tu es revenue, dis-je, et mon cœur déborde de soulagement.

— Ne sois pas ridicule, Neen, j'y suis seulement allée la première pour voir si tu serais capable d'y arriver. Je pense que ça va aller. Viens. » Elle me prend la main et m'entraîne autour du renflement d'une falaise. Nous marchons sur du sable compact et humide ; une vague mouille nos sandales, suivie d'une autre. « Vite, la marée remonte, dit Isabel. Dépêchons-nous. »

Une fois de plus nous avions fait le tour de la pointe, oubliant l'heure alors que nous pataugions et sautions de rocher en rocher. Au-delà de chaque mare, il y en a une autre, et encore une autre. Nous creusons avec du bois flotté dans des anses de sable blanc et décorons nos châteaux de coquillages et d'algues rouges. A présent la marée remonte et nous ne pouvons pas revenir à temps. Nous allons devoir escalader la falaise. Il n'y a rien à craindre, ce n'est pas la première fois que ça nous arrive, et les falaises ne sont pas aussi hautes ici qu'elles le sont plus loin le long de la côte. J'ai quatre ans et je grimpe comme un crabe. Mais c'est la première fois que nous nous sommes éloignées autant.

« Par ici, dit Isabel, il faut monter ces marches. » A mes yeux, ce ne sont pas des marches. Elles sont bien trop grandes. Elles sont hautes, dures, et elles grimpent le long de la falaise en zigzags serrés.

« C'est des marches de contrebandiers, m'explique Isabel.

— Ah bon ?

— Ça se voit aux crochets dans la paroi. Regarde. C'est pour hisser la marchandise. »

Le crochet le plus bas est juste au-dessus de ma tête. Je tends le bras et touche le fer rouillé, puis je retire vivement ma main. Une vague lèche l'arrière de mes jambes, presque jusqu'aux genoux. Les marches du bas sont glissantes à cause des algues qui pendent comme des cheveux verts.

« Allez, Neen. Tu peux pas attendre ici. Je vais y aller en premier.

— Isabel ! J'arrive pas à monter.

— Bien sûr que si. Viens. Pose ton genou là, comme ça, et maintenant attrape ma main.

— Isabel, je veux pas. On retourne par là où on est arrivées.

— On peut pas. La marée remonte trop vite.

— On pourrait nager. Je sais nager maintenant, hein, Isabel ?

— Ne sois pas bête, Neen, tu peux pas nager là-dedans.

Regarde. »

La marée tourbillonne autour de mes jambes et me pousse contre la paroi. Elle repart puis me pousse à nouveau, plus fort, me renversant presque.

« *Vite,* Neen ! »

Elle se hisse et mes genoux frottent contre la pierre. Une grande marche, puis la suivante. « Tu dois t'agripper aussi aux crochets. Tiens ma main, et les crochets. C'est ça.

— Et si on reste coincées ?

— On va pas rester coincées. J'ai grimpé cette falaise des millions de fois.

— C'est vrai, Isabel ? »

Nous continuons notre progression. A un moment je glisse sur une plaque d'algues et me cogne contre la pierre, mais Isabel me tire et m'aide à me redresser.

« Tu dois bien t'accrocher, Neen ! »

Je lève les yeux vers la falaise qui s'élève au-dessus de nous. Elle continue à l'infini, avec ses grandes marches glissantes et ses crochets en fer trop grands pour mes mains.

« Ça va aller, Neen, je te tiens. Regarde, on est presque arrivées. Attends ici et accroche-toi à ça. Je vais grimper puis je me retournerai et je te tirerai. Accroche-toi bien. »

La mer affamée bouge en dessous de nous, comme notre chat quand il fait les cent pas sous le nid dans le buisson de lilas de notre jardin. J'ai toujours peur que les oisillons tombent.

« La mer attend qu'on tombe », dis-je doucement pour que celle-ci n'entende pas. Isabel ne m'entend pas non plus. Elle grimpe. Ici les marches sont taillées encore plus larges, pour des jambes d'homme, pas pour les nôtres. Isabel pose les mains sur le rebord et se hisse. Ses jambes brunes et solides battent l'air sauvagement et la voilà qui grimpe, s'égratignant les genoux contre le bord de la roche. Je m'agrippe bien fort au crochet dont des copeaux de fer rouillés me coupent les paumes. Le visage d'Isabel apparaît par-dessus le bord du rocher. Un de ses bras est enroulé autour du crochet suivant, et l'autre se tend vers moi.

« Viens. Je vais t'aider à monter. »

Elle sourit. Ses cheveux volent autour de son visage mais elle n'a pas de main libre pour les repousser.

« Tu grimpes et je tire. »

Mais je n'arrive pas à lâcher le crochet en fer. Mon regard va et vient entre l'endroit où Isabel se trouve et la mer qui attend. « Ne regarde pas en bas, Neen ! Regarde-moi. » Mais j'hésite. Isabel change d'expression.

« Si tu viens pas, Neen, je continue et je te laisse là. »

Je la regarde, horrifiée. Elle se relève, me tourne le dos et tend la main vers la prise suivante. « *Isabel !*

— Monte, alors. Lâche ton crochet et attrape ma main, que je te tire. Allez, sinon je continue sans toi. »

Sanglotant de terreur je ferme les yeux et me jette sur la main d'Isabel qui attend. La roche déchire mes jambes quand elle me tire vers le haut, et je m'agrippe au rebord avec ma main libre. Je roule contre la paroi rocheuse et me recroqueville en me fermant à la mer et à Isabel. Elle s'agenouille à côté de moi. « Ça va aller, Neen. Les autres marches sont faciles. On est presque en haut.

— Tu m'as dit que tu me laisserais en bas toute seule.

— J'étais obligée sinon tu serais jamais montée. C'était pour rire. »

Au bout d'une minute j'arrête de pleurer, me déroule, et nous finissons de grimper la falaise, d'abord Isabel puis moi qui la suis en lui tenant la main.

J'ouvre les yeux. « Isabel », dis-je. Les plantes desséchées absorbent la pluie autour de moi. J'ai dormi, et pendant mon sommeil l'eau est entrée dans la bouche d'Isabel qui a coulé.

« Elle n'a pas pu nager longtemps, a dit Margery dans l'intention de nous consoler pendant que nous buvions notre café. Pas après cette opération. Elle était trop faible. » Elle voulait dire qu'Isabel n'avait pas eu le temps d'avoir peur. Mais je connais la mer et je sais que ce n'est pas aussi simple que ça. Le temps n'y est pas le même que sur la terre ferme. Je regarde ma montre. Il est 2 heures à présent, dans moins de trois heures il fera jour. Le matin viendra nous apporter le visage froid d'Edward, la police et l'âpreté de tout. Je continue de marcher, me frayant un chemin le long des branches qui ploient sous la pluie. Une pomme me cogne la joue et mes pieds pataugent dans les fleurs tentaculaires.

« Nina, me dit Richard.

— Je croyais que tu étais parti te coucher.

— Je n'y arrivais pas. Je savais que tu serais ici.

— J'ai rêvé d'Isabel. »

Nos mains froides se frôlent, puis s'attrapent. « Margery est partie et Susan a pris le bébé avec elle, dit Richard. Il n'a pas posé problème ce soir, hein ? Nina, tu es trempée.

— Ça va. »

Ses mains touchent mon chemisier, mon jean.

« Complètement trempée.

— Oui. Jusqu'aux os.

— Tu devrais te déshabiller.

— Je sais.

— Nina...

— Ça va aller, Richard. »

Il m'attire vers lui et nous oscillons, accrochés l'un à l'autre, mes vêtements trempés contre les siens.

« Je t'ai cherchée partout, dit-il. Je te croyais partie. J'ai fait tout le tour de ce putain de jardin dans le noir pour te trouver. Je n'ai pas arrêté de tourner en rond dans ces putains d'allées qui ne vont nulle part. Un vrai cauchemar.

— Et pourtant j'étais ici tout ce temps-là.

— J'avais peur que tu sois partie. »

Il donne un petit coup de tête contre mon épaule et je sens ses lèvres sucer mon cou puis brûler ma peau. Il va faire des marques. Je m'écarte.

« J'ai tellement envie de toi, me dit-il.

— Je sais. » Je regarde ses cheveux emmêlés, son grand corps chaud qui cogne contre le mien. Isabel n'existe plus.

« Où est-ce qu'on pourrait aller ? Viens, Nina. Sortons.

— On doit rester ici.

— C'est un vrai cauchemar. J'ai toujours détesté ce putain de jardin. » Son poids pèse sur moi et me pousse contre le sol. « C'est mouillé, dis-je.

— Nina. » Il enroule ses deux bras autour de moi et me serre fort, tellement fort.

La mort donne envie de baiser. Qui a dit ça ? Une relation de travail, au retour d'un enterrement, Paul l'Américain. *Je n'ai jamais été aussi excité. Mais il n'y avait personne de baisable alors je me suis enfilé une plâtée de chips.* Je suis en dessous de Richard et ma tête frotte contre le sol boueux. Je me tortille pour enlever mon jean puis soulève les hanches. Il a chaud et moi froid, je gèle, comme si j'avais passé une éternité sous la pluie. Je tremble sans pouvoir m'arrêter.

« Je vais te réchauffer », me dit-il. Il s'agenouille et embrasse la rondeur de mon ventre qu'il suce et lèche. Je lève les yeux par-dessus son épaule vers les feuilles noires aux contours bien dessinés, vers la brume et vers la lune. J'ai froid, je suis ratatinée et j'ai mal quand il me pénètre.

« Tu n'étais pas prête, me dit-il ensuite, je suis désolé.

— C'est pas grave. » Je remonte mon jean moite sur ma peau nue, la fermeture Éclair, puis je ferme le bouton. Il prend mon visage entre ses mains. Elles sont chaudes et c'est un geste doux, peut-être le plus doux qu'il y ait jamais eu entre nous. J'en fondrais presque.

« Je suis un salaud, un égoïste. Tu dois être crevée.

— C'est rien. Tout m'a l'air tellement bizarre. Je crois que j'ai besoin de dormir. Mais tu me réveilleras, hein ? Tu ne m'oublieras pas ? Je veux redescendre là-bas dès qu'il fera jour.

— Ne t'inquiète pas.

— Richard. J'ai envie de dormir dans la chambre d'Isabel. » Je sens sa respiration contre ma joue.

« Mais pourquoi, Nina ? C'est quoi tout ce foin autour de la chambre d'Isabel ? Il n'y a rien dedans.

— Tu pensais y coucher ?

— Non, je vais pioncer quelques heures sur le divan.

— Alors ça ne te dérange pas si moi j'y vais.

— Si c'est ce que tu veux.

— Juste pour ce soir. »

30

Richard trébuche, pose sa main contre le mur et s'y appuie. Les yeux noirs de fatigue, il regarde bêtement la table. Vague après vague ça déferle en lui. *Ce qu'elle voulait, bordel. Tous les autres pouvaient aller se faire foutre. Si elle est dans l'eau. Les choses ne se présentent pas trop bien.* Mon Isabel mordorée secouée par des poissons aussi sournois que des rats. « Tu as besoin d'un cognac. »

Je vais chercher la bouteille dans le placard de la cuisine, deux verres, et j'emporte le tout dans le salon où Richard est assis sur le divan, genoux écartés, la tête baissée et enfouie entre ses mains.

« Bois ça, et après tu dormiras. » Je remplis son verre à ras bord avec le cognac pâle et coûteux qu'il achète toujours lors de ses voyages à l'étranger. Quand il a apporté cette bouteille à la maison, à l'intérieur de sa boîte de mauvais goût glissée dans le sac plastique de l'aéroport, Isabel était là. Elle avait écrit dans son journal : *R. de retour de X.* Il sirote son verre lentement mais sûrement, avec un bruit confiant, comme un enfant qui avale son biberon. Ses yeux sont à demi fermés.

« Reprends-en. » J'en verse un soupçon dans son verre et bois dans le mien mais pas trop, juste assez pour me réchauffer. Je n'ai pas encore envie de dormir.

« Étends-toi là, je t'apporte une couverture. J'en ai pour une minute. »

Dans le couloir il y a une malle où Isabel garde la literie pour les invités qui dorment en bas lorsque toutes les chambres à coucher sont occupées. J'en tire une épaisse couverture noir et rouge et un oreiller. Quand je reviens il est étendu de tout son long, ses yeux ne sont plus que des fentes, et il respire par la bouche.

« Je t'ai trouvé un oreiller. Voilà, soulève un peu la tête.

— C'est merveilleux », dit-il d'une voix forte, étrange, mais il dort déjà.

Je pousse l'oreiller sous sa tête, enroule la couverture autour du monticule de son corps puis la coince sous ses pieds et me recule, les yeux baissés sur lui. Je vais devoir mettre le réveil, sinon aucun de nous ne sera levé à l'aube comme prévu. J'attends pour m'assurer qu'il dort vraiment. Il pourrait s'agiter, crier, réclamer quelqu'un qui n'est pas là. Ses lèvres sont entrouvertes et de la salive brille au coin de sa bouche. La pièce sent le cognac et des gouttes de pluie brillent sur la vitre. Étendu, Richard baigne dans la lumière qui se déverse de la lampe, et on se croirait dans un pub un jour de pluie, avec la lumière mouillée et sexy, et la perspective d'un après-midi entier passé à boire. Doux et inutile.

Tout à l'heure dans le jardin il ne me faisait aucun effet, mais maintenant ça me démange. Ça aurait pu être une partie de jambes en l'air parfaite, au ralenti, mais je n'étais pas très attentive. Je me penche en avant. C'est un mauvais angle, et je n'arrive pas à la position que je veux. Il me palpe, bouge et soupire, mais reste plongé dans le sommeil. Il sent le cognac, la peur aigre, l'odeur grasse du café qui a cuit en nous pendant des heures. Je m'agenouille près du divan et je pose mes lèvres sur les siennes. Mon Isabel. *Allons, Neen, pourquoi tu ne tiens jamais la longueur ?* Ses lèvres sont pleines et chaudes. Mes yeux grands ouverts voient ses pores et ses rides se dissoudre à mesure que je m'approche, pour se transformer en un paysage étrange et nouveau. J'appuie mes lèvres contre celles de Richard puis je relâche la pression afin qu'elles reprennent leur forme charnue. J'appuie et je relâche, j'appuie et je relâche. J'ai l'impression que ma bouche n'est plus ma bouche, un peu comme lorsque l'on pose le bout des doigts les uns contre les autres et que l'on pousse plusieurs fois. Je me penche contre lui. Au bout d'un moment je ne sais plus où je m'arrête et où il commence. J'essaie de coller ma bouche exactement sur la sienne, zéro contre zéro. Il est réveillé. Ce n'est pas possible autrement. Mais il reste tranquille et me laisse faire. Je souffle dans sa bouche et imagine ma respiration qui se déverse dans les branches vives de ses poumons puis rencontre son sang. Sous le plat de ma main son cœur cogne lentement mais sûrement. Il n'est pas réveillé. Je borde le pourtour de ses lèvres de minuscules baisers puis je m'éloigne, pieds nus sur le plancher.

Je monte à l'étage et m'arrête devant la chambre d'Isabel. Très doucement je m'approche tout près de la porte et y colle mon oreille pour écouter.

Rien. Personne à m'attendre avec ce sourire aux lèvres qu'aucun autre ne pourra jamais m'offrir. Je prononce son nom à voix haute et l'entends qui sonne creux et bête dans la maison dont elle s'est défaite. Une latte craque quand je fais passer mon poids d'une jambe sur l'autre. Il n'y a personne ici. Je reviendrai.

Mais d'abord j'ai quelque chose à faire. A pas feutrés, je me glisse le long du couloir vers le coin où se trouve la chambre de Susan.

Elle dort, elle aussi. Un rai de lumière en provenance du couloir traverse la pièce et fait paraître brune sa tête blonde, enfouie sous la couette. Elle tourne le dos à la porte et au berceau. La pièce est étouffante, avec son odeur de bébé et de femme. Le courant d'air qui rentre par la porte ouverte fait bouger le mobile d'Edward au-dessus du berceau, et les poissons tournoient au bout de leurs fils invisibles. Edward a dû entrer ici et le suspendre à un moment de la longue soirée où Susan et lui attendaient des nouvelles. Il a mis un crochet au plafond.

C'est une petite pièce, environ deux fois la taille du débarras au-dessus de l'escalier où dormait Colin dans notre maison de St. Ives. Sous sa couverture de coton le bébé est couché sur le côté et sa joue ronde est pressée contre le drap. Doucement, sans faire de bruit, je me laisse tomber à genoux à côté de lui et je le regarde à travers les barreaux du berceau.

Il y avait un poème que mon père adorait, et qu'il nous récitait avant qu'on s'endorme. Il allait à la fenêtre et regardait en direction de la baie, de l'île et de la mer assombrie. Dès que nous dormirions il sortirait prendre un verre, nous entendions les demi-couronnes cliqueter dans sa poche. Mais il restait un peu avec nous et faisait le tour de la chambre en nous récitant le poème.

Ma mère portait une robe jaune
Doucement, doucement, douceur.

Reviens vite ou ne reviens jamais.

Ma mère ne portait jamais de robe jaune. Elle mettait des salopettes qui sentaient l'argile et la poussière, travaillait toute la journée et gagnait plus d'argent que lui. Elle était bien obligée. Il gagnait moins que ce dont il avait besoin pour se payer à boire. Elle était forte. Ensuite le poème devenait féroce, étrange, et je me serrais très fort contre Isabel toute chaude :

L'obscurité parlait aux morts ;
La lampe était noire à côté de mon corps.

Reviens vite ou ne reviens jamais.

Mon père connaissait l'auteur. Ensemble ils faisaient le tour des pubs à Londres et une fois cet homme lui avait trouvé un travail à la radio ; on avait tous écouté.

« *Reviens vite ou ne reviens jamais* », a répété mon père une dernière fois après la fin du poème, et sa voix faisait vibrer la pièce. Isabel s'est redressée dans le lit. « C'est cloche, a-t-elle décrété sur un ton méprisant en secouant ses cheveux vers l'arrière, *Reviens vite ou ne reviens jamais.* Pourquoi il arrête pas de dire ça ? » Mon père a ri. « Tu n'as aucune sensibilité, Isabel, comme d'autres jolies filles de ma connaissance. » Isabel n'était pas froissée, alors que moi je l'aurais été. « Y a rien que j'aime dans ce poème de toute façon, il a l'air glissant quand tu le récites. » Je comprenais ce qu'elle voulait dire. Un poème comme celui-là glissait en vous comme un couteau pour vous faire sentir des choses que vous auriez préféré ignorer.

« Toi tu ferais sans doute beaucoup mieux », lui a répondu mon père. Il y avait encore un sourire dans sa voix, mais plus pour longtemps.

« Sûr. Je dirais seulement ce que j'ai envie de dire. » La tête d'Isabel est retombée à plat sur l'oreiller.

« Ce n'est jamais aussi simple que ça, comme tu t'en rendras compte un jour.

— A ton aise, Blaise », a-t-elle lancé. C'était une expression qu'on employait tout le temps, à l'époque, et il est sorti sans nous embrasser.

Le bébé renifle, les lèvres contre ses mains. Il cherche l'odeur de sa mère mais elle ne reviendra pas, ni vite ni jamais. Quand il lèvera les yeux il n'y aura ni visage, ni ombre, ni parfum. Isabel est partie, et son absence grandira avec lui, de plus en plus imposante au fil des années. Il pourrait être dans ses bras en ce moment même, trempé et blessé par les pierres, sur une plage grise où la marée l'aura emportée. Elle l'aurait tenu serré et aurait noué ses bras autour de lui. Avant de s'éloigner sur la plage, elle a demandé à Pat Newsome si elle devait emmener le bébé avec elle. Elle l'a appelé Colin. Elle a dû croire qu'il était revenu en se servant de son corps et en se nourrissant d'elle. Pas étonnant qu'elle ait arrêté de l'allaiter. Il aurait dit quoi une fois qu'il aurait appris à parler ?

Je me lève et me penche au-dessus du berceau et du bébé endormi. Doucement, afin de ne pas le réveiller ou l'effrayer, je pose ma main contre son visage. J'écarte les doigts et sens le chaud filet de son souffle comme une plume qui me chatouille la paume. Son visage est tellement minuscule. Ma main le couvre complètement, le cache même. Aussitôt, il bouge la tête sur le côté afin de dégager sa bouche et ses narines. Doucement, légèrement, ma main replonge. Et il bouge de nouveau. Il bouge avec force et se débat pour se dégager. Mon père avait raison, les choses ne sont jamais aussi simples que ça. Ça a dû être difficile à faire. Colin était plus âgé qu'Antony, plus fort. Ses jambes ont dû tambouriner contre le matelas pendant un bon bout de temps. Peut-être qu'elle a eu peur, qu'elle a enlevé l'oreiller, vu de quoi il avait l'air et qu'elle a compris qu'elle ne pouvait plus retourner en arrière. Elle était allée trop loin, c'était irréversible. Il lui fallait continuer d'appuyer de plus en plus fort jusqu'à ce que le mouvement s'arrête et qu'il n'y ait plus de petits miaulements sous l'oreiller. Quand il a fini par s'immobiliser, elle a dû le haïr d'avoir mis si longtemps à mourir. En même temps, peut-être qu'elle aurait aimé revenir en arrière, et qu'elle s'est dit qu'il serait de nouveau vivant le lendemain matin.

« Nina ! Qu'est-ce que vous faites ? »

Je me retourne et je vois Susan assise dans son lit. Ses yeux rétrécis par le sommeil me scrutent. « Qu'est-ce qui se passe ? Il pleurait ?

— Non, il va bien. Je suis juste venue jeter un coup d'œil.

— Oh. » Elle est mal à l'aise, soupçonneuse, arrachée au sommeil et se demandant si je suis entrée pour la surveiller.

« Excusez-moi, Susan. Je n'avais pas l'intention de vous réveiller. Je voulais m'assurer qu'il allait bien. C'est tout ce qui me reste d'elle. »

Ça marche, je m'en doutais. « Oh, Nina, je suis vraiment désolée. Ça doit être horrible pour vous. Tout le monde pense à Richard mais vous, c'était votre sœur. Vous vous connaissiez depuis toujours. Vous voulez le prendre dans vos bras ? Je ne pense pas qu'il va se réveiller.

— Non. »

Je caresse un côté du visage du bébé avec mon doigt. Maintenant qu'il a roulé sur le dos je vois pour la première fois qu'il ne ressemblera pas tant que ça à Colin, finalement. Il y a aussi beaucoup de Richard en lui. Je glisse mon doigt sur sa paume ouverte et il l'attrape fermement, comme s'il me connaissait.

« Tout va bien, Ant, je m'occuperai de toi », lui dis-je dans un murmure, mais il est endormi et, de toute façon, il le sait déjà. Le monde entier est là pour s'occuper de lui. Ce sera un homme grand et costaud, comme son père, un homme bon n'espérant que le meilleur de la vie jusqu'à preuve du contraire. Il ne grandira pas avec des mots qui hanteront le coin de sa chambre, mais avec l'ombre d'Isabel doucement penchée sur lui. Je ne dirai rien. Rien.

31

Je reprends la clé d'Isabel sur le linteau, ouvre la porte et allume la lumière. Edward n'a pas tiré les rideaux et j'éprouve l'énervante sensation d'être regardée par le carré noir et réfléchissant de la fenêtre. Mais comme il n'y a personne de l'autre côté je combats le désir impérieux de fermer les rideaux. Que la nuit regarde donc à l'intérieur si elle le souhaite. La nuit dans laquelle Isabel a disparu. Sur son lit il y a une marque là où un corps s'est étendu. Edward. Auparavant, les couvertures étaient tirées comme elle les avait laissées. L'amoncellement de papiers, de livres, de vêtements et le nécessaire de couture qui recouvrent généralement le lit d'Isabel ont disparu. Le long corps léger d'Edward a creusé un trou profond. Il s'est étendu là avec le visage dans l'oreiller d'Isabel, silencieux, la porte fermée à clé pour nous empêcher de rentrer. Pour lui, la page est tournée. Il doit être au bord de la mer à présent, écarquillant les yeux dans l'obscurité comme nous l'avons fait, jusqu'à ce que des points noirs et blancs étincellent devant eux et que les larmes les démangent. Il ne cessera pas de croire qu'il a vu quelque chose. Mais il y a tellement de mer, et si peu de terre.

Edward ne dormira pas. Il a déjà passé des nuits blanches, quand Isabel avait besoin de lui et que j'entendais le murmure de leurs voix filtrer sous la porte pendant des heures. Je pensais qu'ils disséquaient Edward et Alex ; Alex et Edward, mais je n'en suis plus trop sûre à présent. Si seulement je pouvais entendre leurs voix maintenant, écouter ce qu'Isabel lui racontait. Elle lui disait quoi ? Il était plus proche que je ne le croyais. Plus proche que quiconque aurait pu s'en douter.

Edward restera éveillé pour Isabel pendant que Richard dormira en respirant fortement par la bouche à cause du cognac. Edward ne verra ni n'entendra rien, juste le bruit agité de l'eau. Le bruit de la mer est tellement plus fort la nuit. Elle aspire et racle les pierres, et si vous l'écoutez elle vous aspirera aussi le cœur.

Je ne vais pas penser à Edward ni à ce qu'il voit. C'est trop tard maintenant. J'ai mon point de vue, il a le sien, nous n'avons rien à nous dire. Et il a de la chance parce qu'il ne peut rien faire de plus que ce qu'il a fait jusqu'ici, c'est-à-dire son possible. Qu'il reste donc planté là, que le souffle du vent lui fouette les cheveux. Lui peut pleurer Isabel, moi pas.

L'un après l'autre, j'ouvre les tiroirs à côté du lit. Celui du bas est plein de lettres fourrées là en désordre. J'y reviendrai. Je suis sûre qu'elles ne révéleront rien, sinon elle ne les aurait pas gardées. Dans le deuxième tiroir, il y a un demi-paquet d'abricots séchés. Je le referme puis l'ouvre de nouveau. Les tiroirs sont en chêne sombre, ils collent un peu et il faut les soulever légèrement au moment de les refermer. Cette nourriture cachée dans le tiroir en chêne me rappelle quelque chose.

Nous avions un buffet dans ce même bois, un buffet en chêne qui aurait dû être ciré mais qui ne l'était jamais. Il collait à cause des empreintes de doigts. Et il possédait un profond tiroir. Je touche le paquet d'abricots. Ils devraient être rebondis et juteux, mais le paquet est ouvert depuis trop longtemps et ils sont secs. Je les pousse au fond du tiroir et mon poignet racle contre le bois à l'intérieur. Oui. Il y avait de la nourriture cachée dans le profond tiroir à la maison. Une boîte entamée contenant du lait pour Colin dont personne ne connaissait l'existence à part moi. Ma mère devait avoir oublié qu'elle l'avait mise là. Un côté de la boîte était recouvert de papier d'un bleu terne que je grattais avec un ongle tout en piochant du lait dans la boîte à l'aide de la petite mesure jaune posée sur le tas de poudre. Une croûte s'était formée sur le dessus. Je l'avais transpercée et j'avais avalé le lait en poudre à toute vitesse, une mesure après l'autre, en la bourrant dans ma bouche. C'était épais, sucré et décevant. Je savais que ça aurait été meilleur si j'avais pu me préparer un biberon comme j'avais vu ma mère le faire. Ces biberons que réclamait Colin en grognant et en s'agitant. Une fois qu'on les lui donnait il tétait jusqu'à ce que la sueur lui sorte de la tête, et son odeur de bébé était tellement envahissante que ça me rendait malade. Je n'avais pas osé enlever la boîte du tiroir. Isabel l'aurait vu. Le lait en poudre collait à mon palais et entre mes dents, si bien que longtemps après m'être éloignée sur la pointe des pieds j'en sentais encore le goût.

Un papier déchiré couvrait la boîte, comme un cerceau après qu'un chien de cirque est passé au travers. Je l'ai remis sur la boîte que j'ai de nouveau cachée dans le tiroir. J'y suis retournée souvent, pas chaque jour mais chaque fois que je pouvais m'éloigner d'Isabel, jusqu'à ce que je voie le fond de la boîte briller à travers les derniers grains de lait. Après ça je n'y suis plus retournée. Je passe en revue le contenu des tiroirs d'Isabel. Une boîte de cachets vide, un classeur en plastique rouge avec des détails sur le suivi de la grossesse et les allocations familiales. Le catalogue d'une pépinière de roses. Un carnet d'adresses et son agenda. A l'adolescence, on cherchait toujours l'agenda caché de l'autre, mais même quand je trouvais le sien il ne contenait rien qui vaille la peine d'être lu. Et celui-ci est exactement pareil. Je le feuillette et tombe sur des rendez-vous chez le médecin, des horaires de train, des notes soignées : *Arrivée E. R à Hong Kong. Anni. N.* La date de demain est entourée de rouge avec « *Bébé aujourd'hui* » écrit en dessous puis barré. Au début de sa grossesse l'hôpital s'était trompé.

Si cette première date avait été correcte, Isabel serait encore en vie. Elle serait toujours enceinte, vivante, ralentie dans ses mouvements, assise au bord de son lit et crayonnant d'autres dates, d'autres « *choses à faire* ». Mais il y a un trait vif et net en travers de cette date-ci.

Sa chemise de nuit n'est plus posée sur la chaise. Je jette un coup d'œil circulaire mais ne la vois nulle part. Soit Edward l'a rangée, soit il l'a emportée. C'est la vieille chemise de nuit en dentelle qu'Isabel avait achetée dans une boutique de fripes et qu'elle avait teinte. Elle trouve de bonnes affaires partout et elle a rarement besoin d'acheter du neuf. La dentelle autour du cou était déchirée mais elle ne s'était pas préoccupée de la réparer. « Elle est bien comme ça. » Et c'était vrai. Elle était parfaite. Avec le renflement doux et marron clair de ses seins contre la dentelle déchirée couleur café. Le problème quand on est aussi belle, c'est que les gens n'imaginent pas que l'on ait besoin de quoi que ce soit.

Les tiroirs sont toujours ouverts. J'ai tout regardé et il n'y a plus rien à y trouver. Mais ma main glisse de nouveau à l'intérieur, s'éraflant contre le bois et faisant craquer les épaisses couches de journaux dont elle a tapissé le fond. Ma main bouge toute seule. Comme un animal qui creuse un terrier, elle plonge plus profondément, soulevant les journaux et grattant le bois sans taches en dessous. Le bois est brut. Ma main s'enfonce de plus en plus loin dans le tiroir. Je passe la langue sur mon palais comme si le goût collant du lait y était encore.

Et je trouve la cachette d'Isabel. Je le sors, ce carton mince qui glisse sous ma main, brillant d'un côté. La photo. Elle est à l'envers, et abîmée comme si on l'avait froissée puis remise à plat pour la conserver. Je la retourne.

C'est une photo en noir et blanc. Une bonne photo, nette, claire et vivante. Elle aurait pu être prise hier. On y voit une femme, ma mère, avec la masse douce d'un enfant dans les bras. Le nid d'ange traîne le long de la robe et le poing d'un bébé agrippe un pli de laine. Ma mère regarde le photographe et soulève un peu le bébé pour que le nid d'ange ne cache pas son visage. Elle se tient bien droite mais sans raideur, comme elle le faisait toujours. Ses yeux fiers, tendres et triomphants, sont plantés droit dans les miens. Regarde ce que j'ai fait. Ce que j'ai fabriqué. Elle m'offre le bébé pour que je puisse voir à quel point il est beau.

Je prends une longue inspiration tremblante. C'est ma mère, mais je ne la reconnais pas. Ma mère, la mienne et celle d'Isabel, n'a jamais ressemblé à ça.

Isabel a dû prendre la photo, la subtiliser. Mais elle n'a pu se résoudre à la détruire. Elle l'avait froissée puis l'avait de nouveau aplatie et cachée là où elle n'était pas obligée de la voir.

Je pense qu'elle la regardait quand même. Durant sa grossesse, lorsqu'elle notait l'évolution dans le classeur prévu à cet effet et que personne n'a encore enlevé. Lorsque Ant est né et qu'elle l'a ramené à la maison. Elle a regardé la photo, encore et encore, et elle a commencé à la comprendre. C'était très simple après tout, quand on y regardait de plus près. L'amour, et l'espoir. Elle les a vus et elle a eu peur. Je jette un autre coup d'œil circulaire, et, l'espace d'une seconde, la terreur d'Isabel fourmille dans la pièce tandis que ma mère sourit au creux de ma main.

C'est facile de déchirer la photo. Je suis les plis, plusieurs fois, et j'obtiens des morceaux que personne ne pourra jamais reconnaître. Je songe à les avaler. Je suis trop fatiguée, je ne pense pas clairement. Au lieu de cela je les empoche comme des confettis puis je referme tous les tiroirs. Inutile de lire les lettres d'Isabel. Elle n'aura rien mis par écrit. Tout ce qu'elle a laissé c'est la photo, mais ça suffit. Elle savait que je regarderais dans ses tiroirs et que je finirais par la trouver.

Mais je ne sais pas pourquoi elle s'est souciée de fermer cette pièce à clé. Il n'y a rien à y trouver. Lorsque Colin est mort, l'odeur de bébé a quitté la maison d'un seul coup. Le lendemain matin j'ai dévalé bruyamment l'escalier en bois et personne ne m'a chuchoté de faire attention. Il n'y avait plus de bébé qu'on aurait pu réveiller. J'étais de nouveau la benjamine. Quoi qu'Isabel ait pensé et ressenti ici, c'est introuvable. Je n'aime pas les mots âme ou esprit, je ne les ai jamais aimés. Je fais le tour de la chambre en touchant des objets : sa brosse à cheveux, sa collection froide de billes dans son grand bocal à bonbons, ses livres. Les billes ont des spirales de couleur à l'intérieur, qui ne s'animent que quand on les fait rouler par terre. Certaines ont été ébréchées pendant des bagarres. Il y a aussi les affaires de Richard mais je n'y touche pas. Il y a ça à faire d'abord, avant de pouvoir commencer à penser à lui. Je prends le peigne puis le repose. Il est sale, avec de longs cheveux châtains emmêlés entre les dents. Elle a dû se peigner avant de sortir.

J'adorais cette chambre lorsqu'elle était vide, juste après qu'Isabel avait signé le bail. Ça me semblait un truc fou. J'étais descendue pour une semaine afin de l'aider à peindre les pièces nues. Nous avions dormi ici, sur deux matelas côte à côte, dans des sacs de couchage. La maison entière puait la peinture et nous avions laissé les fenêtres ouvertes toute la nuit malgré le froid. Au départ les pièces paraissaient immenses ; puis à mesure que nous les peignions elles rapetissaient. Nous mélangions les couleurs nous-mêmes : je distingue encore les bandes sombres sous la peinture près de l'interrupteur, là où nous avions testé nos mélanges qui n'avaient pas vraiment marché. Au-delà des fenêtres il y avait la jungle du jardin, plein de liserons et de chats sauvages. Isabel n'arrêtait pas de dire : « Tu ne trouves pas ça merveilleux ? » alors que nous passions d'une pièce à l'autre et que nos voix résonnaient tandis que nous décidions des couleurs et lessivions les murs et aussi les plafonds. Elle portait un jean qui lui avait coûté une fortune, un jean que je lui avais toujours envié mais qui était vieux à présent, et couvert de peinture. Un jour de beau temps nous avions passé la moitié de la matinée à nettoyer les vitres pour que l'on puisse voir au travers. Il n'y avait ni eau chaude ni chauffage à part quelques vieux radiateurs électriques qui crachaient des gerbes d'étincelles. Ce week-end-là la maison m'avait paru l'endroit le plus splendide au monde. J'avais du mal à croire que je puisse jamais souhaiter être ailleurs, ou avec qui que ce soit d'autre. Mais je suis retournée à Londres, et Isabel a rencontré Richard. Je refais le tour de la pièce du regard et comprends maintenant pourquoi elle a fermé la porte à clé. Ce n'était pas pour nous empêcher d'entrer. C'était pour tirer un trait sous la nouvelle vie qui avait commencé pour elle dans cette pièce, seule : elle avait eu la maison vide autour d'elle, avec de la peinture neuve sur les murs comme du soleil, le bail à son nom, à des kilomètres de là où nous étions nées. Pendant longtemps elle ne s'était pas souciée de poser des rideaux. Tout commençait.

J'éteins la lumière et vais à la fenêtre. Je distingue une vague lueur grise et je lève les yeux vers la lune, mais elle a disparu. Le gris, c'est l'aube, ce n'est plus le jour de la mort d'Isabel. Plus je regarde, et plus je vois. Les arbres, la pelouse, ses allées sinueuses, le mur du jardin. Ils se mettent tous en position comme des chats. J'oublie toujours le bruit que font les oiseaux à la campagne, à quel point ils souhaitent le début de chaque journée. Le jardin est trempé, mais du vert s'insinue entre le gris. Des nuages bas et sales planent au-dessus des prés inondables. Il n'y a plus de chaleur, plus l'éclat de l'été. Nous ne sommes plus coupés du monde désormais, et n'importe qui peut venir jusqu'ici. Les policiers, les infirmières, et les voisins aux yeux avides. Tout le monde voudra voir le bébé pour s'assurer qu'il va bien. Je suis réveillée depuis tellement longtemps que j'ai l'impression que je vais me casser en mille morceaux, à moins de m'accrocher à ce que je vois de mes yeux ouverts et brûlants.

Le jardin d'Isabel. D'ici, les formes sont nettes. Les allées courent comme elle le souhaitait, en secret. On peut se perdre dans ce jardin. Il y a les murs, les fruits qui tombent et les fleurs écrasées par l'orage. Pour l'instant elles sont grises, mais dans quelques minutes elles seront tachées de couleur. Il fait de plus en plus jour.

Je me rappelle la jungle de mauvaises herbes qui existait ici à son arrivée. Elle a taillé, coupé et brûlé jusqu'à ce qu'il ne reste plus rien. Puis elle a planté son jardin. Mais on ne se débarrasse jamais vraiment des orties, du lierre, du sureau grimpant et des liserons. Dès qu'on a le dos tourné, ils repoussent. Vus d'ici, les contours de ses allées font penser à une calligraphie, mais une calligraphie qui ne veut rien dire. Isabel ne reviendra plus avec ses mains agiles pour creuser et planter, enfoncer des bâtons dans la terre ramollie afin de soutenir les fleurs écrasées et donner un sens à tout ça.

Voici les premières lueurs du jour, les recherches vont reprendre. Alors même que je la regarde, l'herbe trempée devient plus verte. Je n'ai jamais assisté à des recherches de police mais j'en ai vu suffisamment à la télé pour savoir à quoi elles ressemblent. Comme tout le monde je suis repue de vérités télévisées : des rangées de silhouettes noires et trapues avancent avec une lourdeur qui vous donne envie de fuir. Elles enfoncent des bâtons dans chaque mètre carré de terre qu'elles délimitent ensuite avec des rubans. Les recherches en mer ne sont pas aussi simples. Un corps ne reste pas là où il est tombé. La mer joue avec, elle le prend dans sa douce bouche puis le relâche. Au Gap, l'eau est épaisse et verte et l'on ne voit pas le fond. Je ne sais pas ce qui arrive à ceux qui se noient là-bas, quand ils meurent et qu'ils sombrent. Mais les enquêteurs sauront quel est le meilleur endroit où trouver un corps. En plein jour, maintenant que l'orage est passé, les policiers pourront fouiller partout. Peut-être qu'elle resurgira à des kilomètres et effraiera des enfants qui pour l'instant dorment encore. C'est Isabel dont je parle. Ma sœur Isabel. Sa peau est boursouflée et gorgée d'eau, comme lorsque nous restions trop longtemps dans un bain.

« Isabel », dis-je, mais la chambre ne répond pas, et le jardin n'en finit pas de pousser, étouffant les allées sous les mauvaises herbes et s'insinuant à travers les briques. Je pense au dur labeur nécessaire pour construire quoi que ce soit, et je me sens fatiguée.

Derrière moi j'entends un petit cri, suivi d'un autre. Le bébé se réveille. Mais je continue de regarder par la fenêtre. Au-delà du mur il y a les prés inondables, plats et mouillés dans la lumière matinale, et la rivière cachée qui descend jusqu'à la mer. Le bébé pleure fort à présent. Le pleur qui monte se brise sur une seconde de silence, et je me dis qu'il ne va jamais reprendre. Mes paumes picotent et je m'accroche au rebord de la fenêtre pendant que la maison retient son souffle, suspendue. Mais voilà qu'un grondement ulcéré déchire le silence. Il reprenait sa respiration, voilà tout.

Je me souviens. Je grimpe un long escalier taillé dans la roche, ma sœur est juste devant moi. Elle me tient la main et me tire vers le haut jusqu'à ce que je sois en sécurité à côté d'elle. J'ai quatre ans et elle sept. Je sais qu'elle ne me lâchera pas, bien que mon visage soit marqué par les larmes après qu'elle m'a menacée de me planter là si je ne me décidais pas à grimper. Des sanglots jaillissent de ma poitrine comme des hoquets. Isabel regarde derrière elle, vers le bas.

« Plus que quelques marches. Ne pleure pas, Neen. »

Mais j'ai trop de larmes en moi. « Tu as dit que tu allais me laisser. »

Elle se penche, et son visage froid et frais touche presque le mien. « Je ferais jamais ça, Neen. Tu le sais bien. Je ferais n'importe quoi pour toi. »

La voix d'Isabel est plus forte que la mer affamée en dessous de nous. « C'est vrai ? Vrai de vrai ? » Je lève les yeux et regarde fixement Isabel, qui pourrait changer le monde pour moi. Un goût de lait remplit ma bouche. Il s'accroche à ma langue et y reste collé. Je sens aussi l'odeur du lait et celle du bébé, forte et écœurante, qui couvre l'odeur de la mer, qui couvre tout. Le bébé est partout. Il remplit mes oreilles et ma bouche jusqu'à ce que je ne puisse plus penser à autre chose. Mes lèvres bougent et Isabel se penche pour m'entendre.

« Tu feras tout ce que je veux, vraiment ?

— Tu sais bien que oui », me répond-elle.

Ses yeux sont tellement près des miens que je ne vois rien d'autre. Je nage dans leur bleu clair et large. Une idée énorme et merveilleuse se déploie en moi comme un mouchoir propre pour essuyer toutes mes larmes.

« Isabel, dis-je, quand on sera en haut, je peux te demander quelque chose ? »

Elle hoche la tête et sa joue effleure mes lèvres. Nous recommençons à grimper l'escalier sans fin, main dans la main.

IMPRIMÉ EN FRANCE PAR BRODARD ET TAUPIN
1432W – La Flèche (Sarthe), le 5-05-1999
Dépôt légal : mai 1999

POCKET – 12, avenue d'Italie - 75627 Paris cedex 13
Tél. : 01.44.16.05.00